www.tredition.de

Romain Puértolas

La police des fleurs, des arbres
et des forêts

(Paris : Albin Michel 2019)

Dossier pédagogique

Christophe Losfeld

Verlag & Druck: tredition GmbH, Halenreie 40-44, 22359 Hamburg

ISBN:

978-3-347-35838-6 (Paperback)

978-3-347-35839-3 (Hardcover)

978-3-347-35840-9 (e-Book)

Bibliografische Information der Deutschen Nationalbibliothek:

Die Deutsche Nationalbibliothek verzeichnet diese Publikation in der Deutschen Nationalbibliografie; detaillierte bibliografische Daten sind im Internet über http://dnb.d-nb.de abrufbar.

Table des matières

I Introduction

Pendant l'été 1961, un officier de police jeune et ambitieux débarque dans un petit village pour enquêter sur la mort de Joël (16 ans), assassiné dans des conditions effroyables. Comme un orage a détruit les lignes téléphoniques, le policier est contraint, pour rendre compte de l'avancée de son enquête, de recourir à des lettres – un moyen de communication que cet homme féru de technique moderne trouve, au départ, quelque peu désuet. Au fil des lettres qu'il échange avec la Procureure de la République – lettres auxquelles il joint en annexe les différentes pièces qu'il rassemble peu à peu –, les secrets longtemps enfouis de ce petit village apparaissent....

A la mort de l'officier de police, on retrouvera dans ses affaires les pièces de l'enquête qu'il avait rassemblées : « neuf bandes magnétiques d'enregistrement, une liasse de lettres et quelques feuilles volantes » (p.14).

Tel est le cadre du roman de Romain Puértolas *La police des fleurs, des arbres et des forêts* (Paris : Albin Michel 2019). Dans plusieurs de ses ouvrages antérieurs, Puértolas avait exploité déjà largement la dimension ludique de la littérature comme écriture.[1] Il ne le fait pas moins dans *La police des fleurs...*, jouant allégrement avec les codes du roman policier, du roman épistolaire et du roman d'amour et se jouant du lecteur avec d'autant plus de jubilation que, dès les premières pages, il lui annonce « un coup de théâtre époustouflant » qui révélera explicitement « quelque chose que l'on essaye de vous dire depuis le début, qui est là depuis le début, et que vous ne comprenez qu'à la fin » (p. 14).

Il exploite, à ce titre, toutes les potentialités du texte littéraire, et par conséquent ce jeu dont parlait avec bonheur Michel Picard lorsqu'il écrivait, dans *La lecture comme jeu*, « tout texte a du jeu, et sa lecture le fait jouer, en particulier dès qu'on atteint le niveau des fictions »[2]. Puértolas joue, dans son roman, tout à la fois sur l'indétermination comme condition fondamentale de l'efficacité du texte littéraire et l'horizon d'attente d'un lecteur appliquant aux genres qu'il connaît des « protocoles de lecture »[3] pour créer une illusion que l'auteur entretient savamment. Par là, il illustre bien que tout acte de lecture implique la participation dynamique du lecteur que Picard mettait en avant, et ce à un point tel que le lecteur va largement au–delà de ce que dit le texte, et qu'il s'égare même en dépit de l'appel explicite à la prudence que lui lance l'auteur à l'orée du livre.

Même si le sujet traité ne correspond, au premier regard, ni aux sujets traditionnels de la littérature destinée à la jeunesse ni à ce qu'on pourrait supposer comme étant l'horizon d'attente d'élèves ou de jeunes étudiants en langue française, la dimension ludique de ce roman peut susciter, incontestablement, une motivation pour la lecture et dans la découverte de la littérature – qui, dans l'enseignement du français, a perdu, hélas en importance. En effet, comme l'a noté justement Francine Cicurel, « L'éloignement de la langue, la présence de références culturelles peu connues demandent un effort de compréhension tel qu'il risque de provoquer la disparition du plaisir à lire. Les médiations et étayages que constitue la parole professorale ont tendance à didactiser la situation de lecture et à la

---

[1]   Voir Christophe Losfeld : « Un détective très très très spécial de Romain Puértolas : un roman qui ne l'est pas moins ». In : Bender, Martina e. a. (Hg.) : *Nonkonformismus und Subversion. Festschrift zu Ehren von Thomas Bremer.* Wettin–Löbejun: Stekovics 2020, pp. 271–282.

[2]   *La lecture comme jeu.* Paris : Editions de minuit 1986, p.48.

[3]   Ibid., p. 66.

rendre avant tout scolaire et non littéraire. Il faudrait tout au contraire que le sujet lisant aille au texte comme on va à un jeu. »[1]

Le dossier pédagogique présenté ici se perçoit, justement, comme la tentative de rendre le texte de Romain Puértolas « jouable » en cours de français langue étrangère. La difficulté principale, à ce titre, est de ne pas empêcher que le lecteur se laisse, au début du roman, prendre au piège de l'ambiguïté : un lecteur francophone habitué à lire omet facilement les indices déposés par l'auteur et se fourvoie bien vite sur de fausses pistes. Un lecteur non francophone, lisant souvent le français moins vite, pourrait être au contraire, y être plus attentif et percer l'énigme avant qu'elle ne soit élucidée.[2] Il est à espérer que la configuration initiale du dossier soit à même, justement, de créer dans l'esprit des apprenants l'horizon d'attente nécessaire à que le piège fonctionne.

Si tel est le cas, ce roman offre aux enseignants, en un second temps, la possibilité de démontrer comment fonctionne le phénomène littéraire et comment toute œuvre s'éploie à l'horizon de codes qu'elle reprend à son compte ou qu'elle interroge (en particulier à ceux du roman policier et du roman épistolaire, avec tout ce que ce dernier autorise par le jeu sur la temporalité et l'ambiguïté qui en découle).

Tout dossier pédagogique implique des choix du à une certaine réduction didactique portant tant sur le choix des sujets retenus – en vertu desquels un aspect, pourtant intéressant dans le roman comme celui de la flore a été délaissé, même si cela est vraiment dommage – que le public auquel s'adresse le dossier : la lecture de *La Police des fleurs, des arbres et des forêts*, quand elle s'adresse à un public non francophone, ne saurait être entreprise que par des élèves de très bon niveau (B 2) du second cycle des lycées ou à des étudiants en langue française et c'est pour eux que les tâches ont été rédigés. Afin de faciliter le travail des enseignants, enfin, les consignes ou les phrases relevant de la langue de cours ont été indiquées en bleu.

La structure du roman

La Police des fleurs, des arbres et des forêts est un roman épistolaire composé de 71 textes[3] réunis en trois parties de taille inégale et de la structure duquel on trouvera ci–dessous une description détaillée.

La première (190 pages réunies sous le titre « La découverte d'un nouveau monde ») rassemble les quinze lettres écrites par l'officier de police à la procureure, les deux réponses de celle–ci ainsi que deux lettres écrites par le garde champêtre et le « médecin légiste » du village. A cela vient s'ajouter seize transcriptions des auditions de témoins enregistrées par le policier, transcriptions qu'il joint à aux courriers qu'il envoie la procureure.

Dans la seconde partie (« Le jardin secret », 107 pages) figurent sept lettres du policier à la procureure, une réponse de cette dernière, deux lettres qu'écrit le garde champêtre à la procureure et une lettre du policier à Elvire, une habitante du village dont il s'est épris. Plusieurs autres documents viennent s'intercaler entre ces lettres : cinq transcriptions d'auditions, quatre lettres découvertes par le policier – lettres échangées entre deux amoureux entre 1936 et 1951 – et trois notes personnelles du policier rédigées sur des supports de fortune, et dans lesquelles il est question de ses sentiments pour Elvire.

---

[1]   « Postures et démarches pédagogiques face au texte littéraire en classe de langue étrangère ». In : Chodzkiene, Loreta (unter der Leitung) : *Language Teaching and Learning in Multicultural and Plurilingual Europe*, Université de Vilnius, 2007, p.170.

[2]   Pour cette raison, il semble préférable de ne pas montrer trop tôt la photographie de « Joël » reproduite à la fin du roman qui compromettrait la supercherie.

[3]   Afin que les enseignants puissent s'orienter mieux dans le roman, nous avons, dans le dossier pédagogique numéroté les différents textes qu'il rassemble.

La troisième partie, enfin (« La vérité sur Joël », 21 pages) ne comprend, outre une annexe, que quatre lettres (l'une du maire à la procureure et trois, en contre–point, échangées par celle-ci et le procureure), ce qui laisse deviner que le policier qui orchestrait la correspondance jusqu'alors perd littéralement le contrôle sur les événéments et même pied.

1961 Le village

16	125				Annexe 4 (L. 2) : audition de la vieille dame aux marguerites
17	133				Annexe 5 (L. 2) : audition du curé
18	137	mercredi 19/07/61	Policier	Procureure	
19	145	jeudi 20/07/61	Policier		Notes prises sur une carte du restaurant de l'hôtel
20	151	jeudi 20/07/61	Policier	Procureure	
21	153	jeudi 20/07/61	Policier	Procureure	
22	156				Annexe 1 (L. 3) : 2nde audition du médecin–légiste
23	160				Annexe 2 (L. 3) : audition du viticulteur
24	162	jeudi 20/07/61	Policier	Procureure	
25	165	jeudi 20/07/61	Procureure	Policier	
26	168		Policier		Notes prises sur un emballage de chewing–gum (20/07/61)
27	169	vendredi 21/07/61	Policier	Procureure	
28	172				Annexe 1 (L. 4) : perquisition du domicile du « tuteur »
29	178	vendredi 21/07/61	Policier	Procureure	
30	181	vendredi 21/07/61	Médecin légiste	Procureure	
31	183				Annexe 2 (L. 4) : audition du garde cham-pêtre et du médecin légiste
32	188	vendredi 21/07/61	Garde champêtre	Procureure	
33	192				Annexe 3 (L. 4) : audition du visiteur spon-tané
34	198	samedi 22/07/61	Policier	Procureure	
35	201				Annexe 1 (L. 5) : découverte de cadavre
36	205				Annexe 1 (L. 5) : 2nde audition du maire

Le jardin secret

La vérité sur Joël

II Pour accompagner la lecture
Unité 1 : Préparer la lecture

Der Roman Puértolas' basiert stark auf dem Gegensatz zwischen Land– und Stadtleben bzw. auf den gegenseitigen Vorurteilen der Bewohner der Stadt und der Dörfer. Die Unterrichtseinheit *Avant la lecture* dient dazu, die SuS für diese Thematik zu sensibilisieren, bzw. sie auf die Vorurteile hauptsächlich des Kommissars aufmerksam zu machen, denn ohne diese geht die dem Werk zugrundeliegende Irreführung nicht auf.

Gens de la ville, gens des campagnes

Leben auf dem Land, Leben in der Stadt

Hauptthema	Einführung in die Thematik des Land– und Stadtlebens
Ziele	– Sprechen: Bilder beschreiben – Eine Debatte führen – Hintergrundwissen nutzen, um Hypothesen aufzustellen
Dokumente	– Fiche 1 : Ville et campagne dans les années 60 – Fiche 2 : L'*Entourloupe* Extrait du film L'*Entourloupe* https://www.youtube.com/watch?v=-RSkONqAYTc 02:12-07:01
Zeitbedarf	2 Unterrichtsstunden

Einstieg

Den Einstieg bildet eine Reflexion im Plenum zu den Vor– und Nachteilen des Lebens in der Stadt und auf dem Land.

1   Debatte: Avantages et inconvénients de la vie à la campagne
Plenum

Quels sont, à votre avis, les avantages et les inconvénients de la vie à la campagne ?

Lösungen

Réponses probables :
Avantages et désavantages de la vie à la campagne
Avantages :
- Moins de bruit.
- Moins de pollution.
- Meilleurs rapports de voisinage.

Désavantages :
- Moins de possibilité de loisirs / de culture.
- Infrastructure (école, moyens de transport) moins développés.
- Contrôle social oppressant.

Erarbeitung I

Um die SuS, die möglicherweise ein z. T. sehr positives Bild des
Lebens auf dem Lande haben, auf den Roman einzustimmen, sollen
sie mit der Wirklichkeit der 60er Jahre vertraut gemacht.

Hierzu wurden zeitgenössiche Fotografien ausgewählt, die den Kontrast
zwischen dem schweren, arbeitsamen und einfachen Leben auf dem Lande
und der als Ort des Fortschritts dargestellten Stadt abbilden.
Dieser Schritt dient einem doppelten Zweck: Er soll die Sympathie für das
Landleben, die manche SuS sicherlich empfinden, relativieren, damit sie
später die Ereignisse aus der Perspektive des Stadtpolizisten deuten können.
Darüber hinaus sollen die SuS dafür sensibilisiert werden, dass es sich um stilisierte
Bilder handelt, also um Repräsentationen bzw. Interpretationen.
Dies kann z. T. zu einer Reflexion zur Werbung als Ausdruck der Träume einer Epoche
führen.
Entscheidend ist bei der Beschreibung, dass das Wort „sabot" (au départ „Hufe",
le mot a été ensuite utilisé pour désigner des chaussures en bois) bzw. die
Wortgruppe („corvée d'eau" Wasserdienst) eingeführt wird, damit die SuS bei der
Lektüre des 6. Kapitels nicht stutzig werden.

Falls die Zeit reicht, wäre auch die Lektüre der Kurzfassung von Pagnols Jean
de Florette aus *Découvertes* (Série verte), Bd. 3 möglich.

Vous allez maintenant voir des photos de la vie à la campagne et à la ville dans
les années 60. Vous comparerez les modes de vie dans ces deux milieux et direz, enfin, lequel vous
préférez.

2
Bilder beschreiben
Fiche 1 : Ville et campagne
dans les années 60
Plenum

Die Wahl der Motive ist ganz
bewusst getroffen worden,
damit die Irreführung, auf der
der Roman beruht, im Laufe
der Lektüre funktionieren
kann.

Das Thema Gegensatz
zwischen Land und Stadt
wird im 3. Kapitel
wiederaufgegriffen und
kontextualisiert.

Lösungen :

- Description des photos.
- Mise en opposition (confort de la ville / caractère rudimentaire de la vie à la campagne, travail de
  bureau plus facile / pénibilité de la vie à la campagne, présence d'engins modernes en ville / peu
  de modernité en ville).

Erarbeitung II

Die SuS sollen anhand einer Filmsequenz aus l'*Entourloupe* von
Gérard Pirès (1980) sukzessiv das globale und das detaillierte
Verständnis üben.
Zuerst wird die Sequenz einmal mit Ton – auch wenn die Bäuerin z.T. schwer
zu verstehen ist, dürfte die Stoßrichtung der Szene von den SuS verstanden werden.
abgespielt. Im Anschluss tragen die SuS im Plenum zusammen, was sie festgestellt bzw. verstanden
haben (Globalverstehen).

Bei Bedarf kann die Lehrkraft die wichtigsten Strategien des Hörsehverstehens mit den SuS noch einmal
vorbesprechen.

3
Hörsehverstehen
L'*Entourloupe*
Fiche 1
Einzelarbeit

Stratégies pour la compréhension audiovisuelle
Avant le visionnage
S'interroger sur le sujet de la séquence et réactiver le vocabulaire thématique déjà connu
S'interroger sur la nature du document
Pendant le premier visionnage
Essayer de comprendre d'abord le sens général du document
Prendre des notes en écrivant les mots–clefs
Marquer d'un point d'interrogation les éléments restés peu clairs
Pendant le second visionnage
Compléter les informations déjà obtenues en essayer de clarifier celles marquées d'un point d'inter-rogation
Après le second visionnage
Relire les notes en ajoutant les informations nouvelles

Vous allez découvrir une scène tirée du film *l'Entourloupe* (der Trick). Regardez–la tout d'abord.

Beim zweiten Vorspielen sollen sich die SuS auf die Mittel konzentrieren, die der Verkäufer anwendet, um die Bäuerin über den Tisch zu ziehen (detailliertes Verstehen).

Maintenant, vous allez revoir la scène en vous concentrant sur les moyens que le vendeur utilise pour « convaincre » la paysanne d'acheter l'encyclopédie.

Lösungen

Globalverstehen
- Scène à la campagne
- Deux groupes de personnages : trois hommes bien habillés et une femme de la campagne et ses nombreux enfants, tous habillés plus pauvrement
- Les trois hommes parlent distinctement ; la femme de la campagne utilise, elle, une langue marquée par un certain accent du terroir
- Les hommes offrent / vendent à la femme un beau livre (signature d'un document)

Detailliertes Verstehen
- Affirme ses bonnes intentions (« nos intentions sont pacifiques ». Dabei kann die Lehrkraft die SuS darauf aufmerksam machen, dass es sich in der französischen Kultur um eine typische Formel handelt, wenn man auf Feinde oder unzivilisierte Menschen trifft)
- Exerce sur elle une pression quand il la retient par le col (ou, à la fin, quand il l'oblige à acheter)
- Joue sur la convoitise (« il n'y en a pas pour tout le monde, on peut pas en donner à tout le monde »)
- Met en avant l'autorité de « l'inspecteur », voire de « l'inspecteur général »
- Fait naître une bonne ambiance (« allez les enfants embrassez tous votre maman, elle a gagné »)
- Appate la fermière avec un cadeau

- L'impressionne avec un très bel ouvrage (« un ouvrage considérable imprimé sur papier glacé […] voyez la finesse des dorures ») et son coût (« valeur marchande 400 francs ») (= 650 €)
- Fait semblant de s'intéresser à la famille et à sa santé (« Combien en [d'enfants] avez–vous, Madame Delage »). Voir l'acquiescement et l'approbation (« eh oui ») comme signe d'intérêt
- Donne raison à Madame Delage (« pas pire, voilà le mot »)
- Crée de la compassion en montrant la cicatrice de son opération de la rate (« que vous avez dû avoir de maux quand même, mon pauv' monsieur »)
- Montre l'intérêt pratique de l'ouvrage (« j'aurais pu éviter ça, voyez vous, si j'avais connu l'Ami de la famille »)
- Minimise la portée de l'achat (« vous avez reçu le premier tome en cadeau », « qu'est–ce que c'est 300 F Madame Delage ? », « payables en cinq mensualités de 100 francs, ça va »)
- Se montre conciliant quant à la somme payable immédiatement (« combien vous pouvez donner alors ? »)

Mise en commun

Die Ergebnisse des detaillierten Verstehens werden im Plenum zusammengetragen. Dabei ist zu erwarten, dass die SuS die Naivität der Bäuerin sowie die Listigkeit des Verkäufers erwähnen.

4   *Plenum*

In einem letzten Schritt kann letzendlich die Missachtung des Verkäufers der Bäuerin bzw. den Armen gegenüber thematisiert werden. Diese Missachtung kommt bereits am Anfang der Begegnung zum Tragen (« Ce sont les pauvres qui ont le plus grand désir d'acheter. Article premier : Ne soulignez jamais leur pauvreté. Faites semblant de les prendre pour des gens qui ont de quoi ») sowie am Ende – wenn der Kauf abgeschlossen ist: Als die Bäuerin fragt, wie sie zum Eintrag „Rougeole" gelangen kann, verweist er beim Weggehen lapidar auf das Inhaltverzeichnis (« vous consultez la table des matières»). Die Bäuerin wird wortwörtlich allein gelassen (sie ist die Einzige, die man noch deutlich im Bild sieht).

Tel est le monde où se déroule l'histoire que nous découvrirons à partir de la prochaine heure.

Unité 2 : l'enquête (pendant la lecture)

In der zweiten Unterrichtseinheit sollen die SuS zuerst mit der Ausgangssituation des Romans vertraut gemacht werden und beginnen, nach kriminalisierender Art Informationen zum Verbrechen zu sammeln, um der Entwicklung der Untersuchung durch den *Policier* folgen zu können.

1. Le cadre de l'histoire

« Je suis arrivé au village de P. »

Hauptthema	Die Ausgangssituation der kriminalistischen Untersuchung verstehen
Ziele	Anlegen einer Akte zum Kriminalfall
Dokumente	– Lektüre, Kapitel 2–3 – Fiche 2 : Die Akte des Verbrechens – Fiche 3 : Fiche signalétique de la victime
Zeitbedarf	2 Unterrichtsstunden

In den hier thematisierten Kapiteln wird die Ausgangssituation, der „entsetzliche und unerhört gewalttätige Mord" in einem Dorf herausgearbeitet sowie eine erste Beschreibung des Opfers vorgenommen.

Einstieg

Die SuS lesen zunächst allein die zwei Kapitel von *La police des Fleurs* und machen sich mit dem Text vertraut.
Die Lehrkraft erklärt vorab, worum es im Schritt 2 gehen wird, sodass die SuS im Text die Informationen schon markieren und unterstreichen können, die sie dann zu zweit erarbeiten werden.

1
Leseverstehen
Lektüre, Kap 2–3
Einzelarbeit

Le commissaire, au cours des enquêtes de la police, a pour habitude d'établir :
* un protocole des informations qu'il trouve
* des fiches signalétiques ou de renseignement sur les personnes impliquées.

En utilisant la fiches de travail Fiche 2 et Fiche 3, complétez les informations déjà connues sur le crime, d'une part, et sur la victime, de l'autre. N'oubliez pas de dessiner le personnage !

Erarbeitung

Die Lehrkraft teilt die AB 2 und 3 aus. Die SuS arbeiten in Tandem, suchen Informationen über den Fall und über das Opfer.

2
Leseverstehen
Lektüre, Kap 2–3
Fiche 2 : Procès verbal
Fiche 3 : Fiche signalétique de la victime
Partnerarbeit

Lösungen

Fiche 2
Les faits : horrible meurtre. Joël, la victime a été découpée et emballée dans huit grands sacs
Lieu et date : P. Découverte lundi 17 juillet 1961
Joël a été autopsié par le Dr. Bonnin
Sur instruction du maire, il a déjà été enterré (le mardi 18 juillet à 9 heures 30)
Un monument à sa mémoire est déjà en cours de construction

Fiche 3
* Nom : SNP
* Prénom : Joël
* Age : 16 ans
* Date de naissance : 18 mai 1945
* Profession : (non indiquée)
* Caractéristiques physiques : petit, brun, « ni trop gros, ni trop maigre », grandes oreilles
* Autres caractéristiques : parents enterrés quelque part

2. Comprendre le cadre énonciatif

Hauptthema	Die kontrastierende Beschreibung von zwei der Hauptakteure des Romans verdeutlichen
Ziele	Die Unterschiede zwischen dem Kommissar und dem *garde champêtre* klar machen
Dokumente	– Lektüre, Kapitel 2–3 – Fiche 4 : Fiche de renseignement du garde champêtre – Fiche 5 : Un policier exemplaire
Zeitbedarf	2 Unterrichtsstunden

Der ganze Roman beruht auf einer polyphonischen, durch die Briefform (und Anhängen) vermittelten Funktion. Die Hauptstimme ist offenbar die des Kriminalisten, die in Perspektive zu den anderen Figuren gesetzt werden soll.
Bei der Bearbeitung der Aufgabe ist es von großer Bedeutung, dass die SuS sich mit dem Stadtpolizisten identifizieren.

Erarbeitung I

Die Lehrkraft teilt die Fiche 4 aus. Da die SuS sich bereits mit den zwei Kapiteln befasst haben, dürfte eine erneute Lektüre in Einzelarbeit keine großen Probleme aufwerfen.

1   Leseverstehen
Lektüre, Kap 2–3
Fiche 4 : Fiche signalétique du garde–champêtre
Einzelarbeit

Complétez la fiche de renseignement sur garde champêtre (Fiche 5).

Lösungen

Fiche 4
- Nom : Provincio
- Prénom : Jean–Charles
- Profession : garde champêtre chef
- Caractéristiques physiques : brun, grande moustache, « gendarme de Guignol », chaussures de montagne, pantalon et vareuse kaki, épaulettes et plaques dorée avec la mention « La Loi », képi
- Autres caractéristiques : « accent du terroir », peut–être pas très cultivé (phrases grammaticalement pas toujours correctes, langage familier)

19

Sicherung

Die von den SuS ausgefüllte bzw. angefangene *fiche signalétique* von
Provincio wird im Plenum besprochen.
Zur Verdeutlichung können folgende Bilder gezeigt werden.

2 mise en commun
Fiche 4 : Fiche signalétique
du garde champêtre
Plenum

Garde champêtre	Plaque dorée	Gendarme de Guignol

Erarbeitung II

Im Plenum werden anschliessend die Kennzeichen des Kommissars, der zentralen Figur, herausgearbeitet und in Perspektive zu
Provincio gesetzt.

3 Leseverstehen
Lektüre, Kap 1–2
Einzelarbeit

Le roman repose en grande partie sur les lettres qu'écrit le policier à la procureure.

Relisez les deux chapitres et essayez de caractériser le narrateur.

Lösungen

Fiche 5
Policier « inspecteur de police » en mission dans un village pour enquêter sur un meurtre horrible

- porte un costume / un pistolet automatique
- soucieux d'enquêter scientifiquement
- « Graphomane »

Erarbeitung III

Anschließend soll anhand einer Umfrage ermittelt werden, wem
die Sympathie der SuS gilt. Exemplarisch begründen einige SuS
ihre Entscheidung.

4

Lequel des deux personnages préférez–vous ? Nous allons faire un sondage et l'un ou l'autre d'entre
vous justifiera ensuite son choix.

Lösungen

Mögliche Antworten:
Policier est préféré pour les raisons suivantes :

- plus moderne
- utilise les moyens techniques existant
- travaille plus systématiquement

Hausaufgabe : *Au fil de la lecture*

Die SuS bekommen als Hausaufgabe – *au fil de la lecture* – den Auftrag, weitere Informationen zum *Policier* sowie zum garde champêtre chef zu ergänzen.

5 **Leseverstehen**
Lektüre
Fiche 4–5 : Fiche de renseignement / Un policier exemplaire
Einzelarbeit

3. La déposition du médecin légiste

Ein Vertreter der wissenschaflichen Polizei

Hauptthema	Das Gefühl der Überlegenheit des Stadtpolizisten bei den SuS festigen
Ziele	– Leseverstehen (detailliert, analytisch)
Dokumente	– Lektüre, Kap. 4–5 – Fiche 6 : L'audition du médecin légiste – Fiche 3 et Fiche 4
Zeitbedarf	1 Unterrichtsstunde

Das Treffen mit dem Pathologen ist ein entscheidender Moment, damit die SuS endgültig die Überlegenheit des Stadtpolizisten anerkennen und das Geschehen durch seine Augen betrachten. Dazu gehört, dass seine Autorität als wissenschaftlich arbeitender Polizist anerkannt wird, was mit einer impliziten Herabwürdigung des „médecin légiste" einhergeht.

Einstieg

Vor der Textarbeit werden die SuS gefragt, welche Figuren von Pathologen kennen und über welche Eigenschaften diese verfügen.
Aus Fernsehserien kennen sie möglicherweise:
Crossing Jordan – Pathologin mit Profil (2001–2007)
Dead End – Bones (2019–)
Tatort mit Professor Boerne (2002–)
(Diese Liste kann im Plenum selbstverständlich erweitert werden).
Im Anschluss wird gemeinsam überlegt, über welche Eigenschaften ein Pathologe verfügen muss.
Es ist zu erwarten, dass die SuS den Pathologen folgende Eigenschaften zuschreiben:
- Sinn für Logik
- Wissenschaftliche Herangehensweise

1 **Bilder von Pathologen aus Femsehserien:**
Fiche 6 : L'audition du « médecin légiste »
Plenum

- Akribie
- Gewisse Verschrobenheit
- Selbstbewusstein, ja sogar z. T. Arroganz

Erarbeitung

Nun lesen die SuS die Kapitel 4 und 5 und positionieren sich zu den Aussagen der Fiche 4.

2   Leseverstehen
Lektüre, Kap 11
Fiche 6 : L'audition du
« médecin légiste », Aufg. 3
Einzelarbeit / Gruppenarbeit

Lösungen

Siehe Fiche 6, corrigé

Vertiefung

Abschließend werden die neu gewonnenen Erkenntnisse zum Verlauf des Verbrechens bzw. zum „officier de police" auf die Fiche 2–5 ergänzt.

3   Fiche 2 : Procès verbal du
crime
Fiche 3 : Fiche signalétique
de la victime
Fiche 5 : Un policier
exemplaire
Plenum

Lösungen

Fiche 2 Procès verbal du crime
- La victime a été endormie avec un somnifère avant d'être tuée (2/2)
- Elle a été tuée vers 23h 30 dans le village ou tout près (2/2)
- Elle a été ensuite déposée (dans les sacs) dans une cuve de l'usine de confiture (2/2)

Fiche 3
Fiche signalétique de la victime :
- « cheveux longs » « à la sauvageon » (2/2)

Fiche 5
- Partisan (et expert) de la police scientifique
- Sens logique très développé
- Persuadé de ses compétences

4 La déposition du « tuteur légal »

Hauptthema	Die Aussage von Félicien Nazarian
Ziele	– Leseverstehen (detailliert, analytisch) – Textkompetenz (sprachliche Gestaltungsmittel erkennen und Wirkung analysieren)
Dokumente	– Lektüre, Kapitel 6 – Fiche 3 : Fiche signalétique de la victime – Fiche 7 : Les notes de l'officier de police – Fiche 8 : Fiche signalétique de Félicien Nazarian
Zeitbedarf	2 Unterrichtsstunden

Die Aussage des „tuteur légal" ist im Roman ein wesentlicher Moment in der Untersuchung durch den „Policier" und sie stellt auch einen wichtigen Aspekt bei der Vorbereitung der Gerichtsverhandlung dar

Erarbeitung I

Die Lektüre der drei Textentwürfe gilt auch als Entlastung des Textverständnisses.

Ziel der Stunde besteht darin, die verschiedenen Version der (fiktiven) Notizen, die der *Policier* als Vorbereitung für seinen Brief an die Staatsanwältin diktiert, mit dem Originaltext zu vergleichen, um herauszufinden, welche Fassung dem Text enspricht.

Je nach Lerngruppe sind verschiedene Varianten möglich: Bei einer starken und homogenen Lerngruppe sollen die SuS in Partnerarbeit alle drei Texte lesen und anschließend das Kapitel 6 lesen, um herauszufinden, welche Version die richtige ist.

Gegebenenfalls können die Unterschiede zwischen den drei Versionen tabellarisch veranschaulicht werden.

Bei einer heterogenen Lerngruppe empfiehlt es sich, den Vergleich zwischen der Version A und der Version B durch die leistungsschwächere, und den Vergleich zwischen der Version B und C durch die stärkere Lerngruppe vornehmen zu lassen.

Im Anschluss werden die Unterschiede zwischen den drei Versionen auf der Tabelle der Fiche festgehalten.

1   Leseverstehen (detailliert)
Fiche 7 : Les notes de l'officier de police 1

Partnerarbeit / Plenum

Très troublé par le caractère gravissime des événements, l'officier de police a fait quatorze fautes dans les textes (six fautes dans l'un et huit fautes dans l'autre) qu'il dicte sur son *Nagra III* pour préparer sa lettre à la procureur. Lisez les trois textes ci–dessous et soulignez les différences.

Version A	Version B	Version C
Avec la **2CV**	la 4CV du chef Provincio	la 4CV du chef Provincio
apparemment un peu porté sur la boisson	apparemment un peu porté sur la boisson	**qui a arrêté de boire après des années d'alcoolisme**
une ferme bien entretenue	une ferme bien entretenue	**une vieille ferme à l'abandon**
Félicien a soixante–**quinze** ans	Félicien a soixante–douze ans	Félicien a soixante–douze ans
il apporte un souci étonnant à son apparence extérieure	il apporte un souci étonnant à son apparence extérieure	**il porte des vêtements grossiers et usés, ce qui n'est pas étonnant**
son costume est trop **petit**	son costume est trop grand	son costume est trop grand
Il est exploitant agricole et fournit en fruits l'usine de confiture.	Il est exploitant agricole et fournit en fruits l'usine de confiture.	**Après des années de travail […] il a pris sa retraite il y a deux ans.**
Naissance de Joël le **8 mai 1945**	Naissance de Joël le 18 mai 1945	Naissance de Joël le 18 mai 1945
parents de Joël, **Gérard** et Lydie	parents de Joël, Martin et Lydie	parents de Joël, Martin et Lydie
étaient morts d'épuisement	étaient morts d'épuisement	**morts pendant la guerre**
M. Nazarian aimait Joël à sa façon	M. Nazarian aimait Joël à sa façon	**Félicien ne s'est apparemment pas vraiment occupé de Joël**
rien que **boîtes de conserve**	rien que des produits biologiques	rien que des produits biologiques
Joël, qui était encore dehors, a finalement renoncé	Joël, qui était encore dehors, a finalement renoncé	**Joël était déjà rentré car un orage menaçait.**

lundi	Dimanche	dimanche
21 heures	22 heures	22 heures
et il est à craindre qu'il ne se fasse justice lui–même s'il trouve le coupable avant nous	et il est à craindre qu'il ne se fasse justice lui–même s'il trouve le coupable avant nous	il **fait confiance à la police pour trouver le coupable**

Erarbeitung II

Die SuS lesen nun in Einzelarbeit das sechste Kapitel und finden heraus, welche der drei Notizen dem Text entpricht.

2   **Leseverstehen (analytisch)**
Partnerarbeit

Lisez maintenant le sixième chapitre du roman et et indiquez laquelle des versions est la bonne.

Lösung

Version B

Vertiefung

In einem nächsten Schritt ergänzen die SuS die Fiche 3 sowie die „fiche signalétique de Félicien Nazarian" (Fiche 8).

3   **Fiche 3 und 8**
Einzelarbeit

Complétez maintenant la Fiche 3 : « Fiche signalétique de la victime » et ensuite la Fiche 8 : « Fiche signalétique de Félicien Nazarian ».

Lösungen

Fiche 3 :
- adopté dès sa naissance par Félicien Nazarian
- n'a jamais été à l'école
- vivait très librement
- dormait parfois dehors
- paresseux

Fiche 8 :
- Nazarian, Félicien
- 72 ans
- Veuf de Mireille (décédée en 1951)
- Propriétaire terrien, exploitant agricole, fournisseur de l'usine de confitures

- Apparence fragile
- Porté sur la bouteille
- A adopté Joël dès sa naissance (dans des conditions presque illégales)
- Tuteur légal
- Aimait Joël à qui il accordait beaucoup de liberté
- Très triste à cause de la mort de Joël

Hausaufgabe

Anschließend erhalten die SuS folgende Hausaufgabe: Sie sollen das
6. Kapitel erneut lesen und Angaben zur Überlegenheit des *Policier*
herausschreiben.

4

A la maison, relisez le chapitre et recherchez les éléments attestant, dans le texte, la supériorité de l'officier de police.

Lösungen

« Je note aussitôt la connexion avec l'endroit où on a découvert le corps. Mais il peut s'agir d'une coïncidence. Double connexion si l'on prend en compte qu'il est le tuteur de la victime » (p. 49)
➔ Rapidité de la pensée et sens logique

« Vous n'êtes pas sans savoir que les lois françaises s'appliquent de même manière en zone urbaine et rurale » (p. 50)
➔ Ton sarcastique du policier, connaisseur du cadre légal

« Sans m'étendre sur le sujet, c'est un Nagra III, un appareil aussi performant que les enregistreurs professionnels de studio » (p. 55)
➔ Ton faussement modeste d'un policier à la pointe de la technique

« Ma question le prend de court. J'aime passer du coq à l'âne afin de déstabiliser mon interlocuteur et d'obtenir des réponses spontanées et donc franches » (p. 56)
➔ Supériorité du policier connaissant sur le bout des doigts les techniques de l'interrogatoire

Reportez maintenant ces indications sur la Fiche 5 : « un policier exemplaire ».

5 Le témoignage de Martine

Hauptthema	Die Aussage der Nachbarin von Félicien
Ziele	– Die Gefühle der Protagonisten versprachlichen
Dokumente	– Lektüre Kapitel 7 – Fiche 9 : Fiche signalétique de Martine Moinard – Fiche 10 : Le monologue intérieur
Zeitbedarf	2 Unterrichtsstunden

Erarbeitung I

In Einzelarbeit lesen die SuS das 7. Kapitel und ergänzen in Partnerarbeit die Fiche 2 („Procès–verbal du crime", Fiche 3 („Fiche signalétique de la victime") Fiche 3 („fiche signalétique de Félicien Nazarian") und Fiche 9 („Fiche signalétique de Martine Moinard")

1

Leseverstehen
Fiche 2
Fiche 3
Fiche 8
Fiche 9
Einzel– und Partnerarbeit

Lösungen

Fiche 2
- Joël n'a pas été tué sur la propriété de Félicien Nazarian
- Martine a été interrogée comme témoin
- Martine soupçonne Félicien d'avoir tué Joël
- Félicien devient suspect

Fiche 3 :
- Joël fuguait
- Etait–il un « affreux Jojo » ?

Fiche 8 :
- Félicien était fou de rage quand Joël fuguait, parce qu'il se faisait du souci pour lui

Fiche 9 :
- Martine
- Soixante ans environ
- Longs cheveux
- Sale
- Nerveuse
- Grande fumeuse (« doigts jaunis ») de Craven[1]
- Etait il y a trente ans la plus belle fille du village et faisait tourner des têtes
- A longtemps porté une robe de chambre à fleurs et maintenant une robe noire

---

[1] La marque ce cigarette *Craven A* est un élément important de la cullture populaire dans les années 60 et elle est un accessoire important dans les films policiers.

27

- Aime les aninmaux / En a beaucoup d'animaux : sa maison est une « vraie ménagerie » /
- Passe pour folle

(collection privée) Gilles Grangier *Le cave se rebiffe* (1961)

Erarbeitung II

In einem zweiten Schritt bearbeiten die SuS die Fiche 10.
Darauf finden sie (erfundene) Sätze aus dem inneren Monolog der
verschiedenen Protagonisten. Die Sätze sollen zugeordnet werden
und gedeutet werden.

2   Gedanken zuordnen und
deuten
Fiche 10: les monologues
intérieurs
Partnerarbeit

Relisez maintenant la deuxième partie du chapitre (pp. 63–74) Sur la fiche de travail Fiche 10 vous
trouverez des éléments des monologues intérieurs des trois personnages intervenant dans ce chapitre
(ces monologues suivent le fil du texte). Attribuez ces éléments au personnage correspondant et justifiez
votre choix.

A)   C'est quand même bizarre, cette robe noire…

B)   Mais, bon sang, tient–il absolument à parler à cette folle ?

C)   Ah, enfin quelqu'un à qui je peux dire la vérité !

D)   Mon Dieu, la vie ici est caractérisée par une violence que je n'imaginais pas !

E)   Comme c'est triste ! Je ne pourrai plus jamais ni lui parler, ni lui donner de ces fruits qu'il aimait tant !

F)   Enfin quelqu'un qui me donne des informations intéressantes.

G)   Mais c'est pas possible ! Ce monsieur de la ville n'arrêtera donc jamais arrêter de me faire la leçon,
alors qu'il ne comprend rien de notre vie ?

Lösungen

A) Provincio (p. 64) : Depuis des années, la voisine ne portait qu'une « robe de chambre bleue à fleurs rouges ». Et ce matin–là, au contraire, elle porte une « jolie robe noire », sans doute à cause du deuil.

B) Provincio (p. 65) : Le garde champêtre aurait voulu éviter que l'officier de police parle avec Martine, car il pense qu'elle est folle. L'officier de police lui répond pourtant : « Vous permettez que je me fasse ma propre impression ».

C) Martine (p. 67) : Elle trouve que tous les habitants du village sont hypocrites. Maintenant que Joël est mort, tous trouvent qu'il est gentil et ils ne veulent pas écouter les critiques qu'elle pourrait leur adresser sur les mauvais traitements qu'ils lui ont affligés. Avec l'officier de police, en revanche, elle peut parler franchement.

D) L'officier de police (p. 68). Il est effaré et choqué d'apprendre les mauvais traitements que Félicien, qui pourtant avait affirmé aimer Joël, lui réservait pourtant : il le frappait et l'attachait même pendant de longues heures.

E) Martine (p.71) : Joël rendait souvent visite à Martine. Ensemble, ils causaient « de tout et de rien » et elle lui donnait une pomme « une pomme bien rouge ».

F) L'officier de police (p.73), à qui la voisine raconte ce qui se passe effectivement au village, est content d'entendre son témoignage : « votre témoignage est une aide précieuse ».

G) Provincio (pp.73 sq.) est désagréablement surpris des reproches que lui adresse l'officier de police, car ce dernier ne comprend décidément rien aux mœurs des gens de la campagne.

Sicherung

Anschließend wird nach der Rüge, die der *Policier* dem *garde champêtre* erteilt hat, ein innerer Monolog verfasst, in dem Letzterer seine Meinung zum Polizisten aus der Stadt äußert	3	innerer Monolog Fiches 2 et 5 *Einzelarbeit* ggf. *Plenum*

Après qu'il a été blâmé par l'ofificier de police, le garde champêtre ne cesse de penser à leur discussion. Le soir, dans sa maison, il pense au policier venu de la ville.
Imaginez son dialogue intérieur, en utilisant aussi la fiche de travail N°2.

Les principales caractéristiques du monologue intérieur

Omniprésence de la première personne

Logique peu rigoureuse : Il est possible de / d'

- revenir sur des idées déjà formulées

- hésiter

- laisser une pensée inachevée

Utilisation plus marquée qu'à l'habitude de la ponctuation (points d'exclamation, d'interrogation)

Lösungen

Mögliche Antworten:
Das Bild vom Stadtpolizisten, das Provincio entwirft, dürfte janusköpfig sein. Auf der einen Seite empfindet der Chef Provincio Bewunderung für das professionelle Verhalten des *officiers de police*, der sehr gut ausgebildet ist und über einige, auf dem Lande unbekannte technische Möglichkeiten verfügt (siehe Fiche 5). Auf der anderen Seite hat er den Eindruck, dass sein Kollege aus der Stadt die Leute vom Lande gar nicht versteht und sich ihnen gegenüber arrogant benimmt.

Hausaufgaben

Im Text wird Joël als „affreux Jojo" bezeichnet (S. 62). Der Ursprung dieser Redewendung ist nicht ganz sicher. Als mögliche Quelle – und im Falle Puértolas', der im *La Police des fleurs…* stets um ein

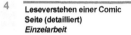

historisches Kolorit bemüht ist – dürfte hier ein unter dem Pseudonym „Ami" illustrierte und 1961 erschienene Roman von Georges Tardy *Les Vacances de l'affreux Jojo* fungiert haben. Der Text ist für den Einsatz im Unterricht kaum brauchbar.
Als Hausaufgabe könnte die Beschreibung folgender Illustration (S. 179) erteilt werden.

Les vacances de l'affreux Jojo. Paris : libraire Arthème Fayard, 1961

Lösungen

Une jeune fille sur une moto s'arrête et fait monter un garçon avec lequel elle repart. Peu de temps après, celui–ci voit au bord de la route une fille, plus belle que la conductrice, qui fait de l'auto–stop. Sur la dernière vignette, on voit la conductrice debout sur la chaussée, en pleurs et avec un œil au beurre noir, comme si elle avait été frappée. La jeune autostoppeuse est désormais au guidon de la moto et derrière elle est assis le garçon.

Es ist wünschenswert, dass die Lehrkraft die abwertende Bezeichung „animal" bzw. „tête de mule" für einen bösen bzw. sturköpfigen Menschen einführt, damit die Irreführung im nächsten Text weiterhin funktionnieren kann.

---

6 L'interrogatoire de Félicien

La justice en marche

Hauptthema	die mögliche Täterschaft von Félicien plausibel zu machen
Ziele	– Hörverstehen
Dokumente	Lektüre, Kapitel 28 Fiche 2 : Procès verbal du crime Fiche 8 : Fiche signalétique de Félicien Nazarian Fiche 11 : l'interrogatoire de Félicien Eventuell Fiche 12 : Le dialogue entre Félicien et l'officier de police : https://youtu.be/wis8fVBHXpQ
Zeitbedarf	2 Unterrichtsstunden

In diesem Kapitel versucht der *Policier*, die Verdachtsmomente gegen Félicien zu verhärtern, indem er ihn einerseits mit dessen früheren Lügen und andererseits mit einer Hausdurchsuchung konfrontiert.
Die Hördatei ist eigens für den *Dossier pédagogique* aufgenommen worden.
Ein Höhrfassung des kompletten Romans, die von Thomas Marceul gelesen wird, ist unter folgender Adresse verfügbar:
https://emea01.safelinks.protection.outlook.com/?url=http%3A%2F%2Fwww.audiolib.fr%2F&data=
04%7C01%7C%7C545b6fd8aeb14aa6ca5c08d93c6784d6%7C84df9e7fe9f640afb435aaaaaaaaaaa%
7C1%7C0%7C637607237572662308%7CUnknown%7CTWFpbGZsb3d8eyJWIjoiMC4wLjAwMDAiLCJ
QIjoiV2luMzIiLCJBTiI6Ik1haWwiLCJXVCI6Mn0%3D%7C1000&sdata=pdJsIK%2F%2BA6TUx0dA
OGYffR7cY1IaC2D0OwgV69RVhGQ%3D&reserved=0 »

Erarbeitung I

Die SuS bearbeiten in Einzelarbeit die Fiche 11 und hören hierzu zwei Mal die Hörversion des Dialogs.

1 Hörverstehen (detailliert)
Einzelarbeit
Hördokument
Fiche 11

Vous allez maintenant entendre un dialogue entre l'officier de police et Félicien.
Après l'écoute, cochez la bonne réponse ou complétez l'affirmation sur la fiche de travail.

Lösungen

1.b / 2.b / 3. a und c / 4 l'officier de police prouve la culpabilité de Félicien avant la fin de la semaine / 5. b und d / 6. traces de sang, traces de violence, sacs des Galeries Lafayette / 7. On ne sait pas : il dit non mais on a le sentiment qu'il ne dit pas la vérité.

Transkription des Hördokuments

POLICIER : Je vais vous poser une question, monsieur Nazarian, et je voudrais que vous y répondiez avec la plus grande franchise. Vous est–il déjà arrivé de corriger Joël ?

FELICIEN : Corriger ?

5 POLICIER : Disons–le clairement, frapper.

FELICIEN : Vous avez vu la folle, c'est ça ?

POLICIER : Je vous demande juste de répondre à ma question.

FELICIEN : C'est pour ça que vous me réveillez à 6 heures du matin ? Ça frôle le ridicule ! Des petits coups de bâton, de temps en temps, et alors ?

10 POLICIER : Et ça ? C'est quoi ?

FELICIEN : Vous le voyez bien, un pieu et une corde.

POLICIER : Pour attacher un chien méchant ?

FELICIEN : Non, la chèvre de monsieur Seguin[8] ! […] Je n'ai pas de chien. Je n'aime pas les chiens...

15 POLICIER :   Pour attacher un enfant, alors ?

FELICIEN : Attacher un enfant ? De quoi parlez–vous ?

POLICIER : Vous n'attachiez pas Joël à ce piquet, monsieur ?

FELICIEN : Vous êtes de la police ou de la SPA ?

POLICIER : Répondez, vous l'attachiez, n'est–ce pas ?

20 FELICIEN : Vous ne connaissiez pas l'animal, inspecteur ! Joël était gentil mais il n'écoutait rien, une vraie mule, quoi ! Et il n'était pas rare qu'il se fasse la malle. Comme je vous l'ai déjà dit, je le retrouvais souvent vers l'usine Boniteau. Je n'ai-mais pas qu'il fréquente ce coin–là. Bref, je devais passer mes journées à le cher-cher et je n'avais pas que ça à faire. La corde, ça m'évitait ces soucis. Je ne la lui

25 mettais pas au cou, comme on vous l'a peut–être dit. Je la lui nouais à la jambe. J'étais au moins tranquille pour un petit moment.

POLICIER : Le code pénal ne punit peut–être pas littéralement l'action d'attacher quelqu'un à un poteau, je vous l'accorde, mais il condamne les mauvais traite-ments et les négligences. J'ai demandé à la procureur de la République si on ou-

30 vrait une enquête parallèle pour ces infractions.

FELICIEN : Quoi ?

POLICIER : Et vous savez ce qu'elle m'a répondu ?   « Pas si vous prouvez avant la fin de la semaine qu'il est coupable du meurtre de Joël. ». Monsieur Nazarian, je vais maintenant procéder à une perquisition de votre domicile.

35 FELICIEN : Vous avez un mandat ?

POLICIER : Le mandat de perquisition n'existe pas en France. Vous allez trop au cinéma voir les films de M. Hitchcock.

FELICIEN : Et je ne peux pas m'y opposer ?

---

[8] *La chèvre de Monsieur Seguin* : une des *Lettres de mon moulin* (1869) d'Alphonse Daudet qui raconte l'escapade tragique d'une chèvre qui refusait de rester attachée à son piquet et rêvait de voir le monde.

POLICIER : Sur le fond, non, sur la forme, je penserais que vous avez quelque chose
à cacher, ce qui m'inciterait à mettre un peu plus de cœur à l'ouvrage, et donc plus
de désordre dans votre maison, en toute légalité en plus.

FELICIEN : Faites votre sale boulot alors !

POLICIER : Très bien, je vous informe donc que nous allons effectuer une perquisition de votre domicile dans le cadre de l'enquête de flagrance sur le meurtre de
Joël. Je vous demanderai d'y assister, c'est la loi, afin que vous ne nous accusiez
pas, par la suite, d'avoir nous–mêmes posé les indices que nous allons éventuellement découvrir.

FELICIEN : Vous pensez que c'est moi qui l'ai tué ?

POLICIER : Ce que je pense ou pas n'a aucune espèce d'importance. Docteur, vous
pouvez procéder à la recherche de traces de violence et de sang. Chef, sans vous
commander, pourriez–vous chercher d'éventuels sacs des Galeries Lafayette ?

FELICIEN : Des Galeries Lafayette ? Mais qu'est–ce que tout cela veut dire ?

POLICIER : Joël a été retrouvé dans des sacs comme ça. Huit, pour être précis.

FELICIEN : Faites voir.

POLICIER : Qu'avez–vous, monsieur Nazarian ?

FELICIEN : Rien, rien.

POLICIER DE POLICE : Les Galeries Lafayette, cela vous rappelle quelque chose ?

FELICIEN : Non.

Erabeitung 2

Im Verlauf des Gesprächs ändern sich die Gefühle von Félicien. Nun
sollen die SuS den Text lesen und diese herausarbeiten.
Zwei Varianten sind je nach Leistungsstärke der Lerngruppe
vorstellbar.

2 **Leseverstehen detailliert
Eventuell Fiche 12 : Les
sentiments de Félicien pendant l'interrogatoire**

Gruppenarbeit

Variante A
Die SuS erarbeiten in Partnerarbeit den Wechsel der Gefühle selbstständig.
Au cours de cette scène, les sentiments de Félicien varient. Vous allez maintenant relire le chapitre et décrire
leur évolution.
Bei dieser Variante kann das Ergebnis weniger detailliert als im Erwartungshorizont ausfallen.

Variante B
Die Sus bekommen verschiedene Modelle der Entwicklung, lesen dann den Text des Kapitels erneut und
entscheiden, welche Reihenfolge ihres Erachtens die richtige ist.

Au cours de la scène de l'interrogatoire, les sentiments de Félicien varient. Parmi les schémas de l'évolution
proposés ci–dessous, un seul correspond au texte. Trouvez lequel et justifiez votre choix.

Bei einer weniger leistungsstarken Lerngruppe kann diese Entwicklung vereinfacht werden.

Lösungen

C)

- Grand étonnement « répète–t–il, ahuri » (p. 172)
- Résignation, fatalisme « il soupire » (p. 172)
- Court moment de colère, teintée de sarcasme « C'est pour ça que vous me réveillez à 6 heures du matin [...] peste–t–il » (p. 173)
- Incompréhension « de quoi parlez–vous » (p. 173)
- Révolte « Vous ne connaissiez pas l'animal [...] un petit moment » (p. 174)
- Etonnement « Il a l'air de tomber des nues » (p. 175)
- Effondrement, effarement « Son monde semble s'écrouler [...] affolés » (p.175)
- Velléité d'opposition « Vous avez un mandat ? » (p.175)
- Résignation empreinte de colère « Faites votre sale boulot alors » (p.175)
- Incrédulité « vous pensez que c'est moi qui l'ai tué ? » (p.176)
- Désespoir « le visage du vieillard se décompose [...] l'air absent » (p. 176)
- Grande colère « Je vous dis que non, s'emporte–t–il » (p. 177)

Hausaufgaben

Die SuS lesen als Hausaufgabe das Protokoll der Durchsuchung und fassen die Ergebnisse zusammen.

3   **Leseverstehen**
Kapitel 29
Einzelarbeit

A la maison, lisez le chapitre 29 et résumez les résultats de la perquisition.

Lösungen

La scie trouvée dans l'atelier de Félicien n'est pas l'arme du crime
Il n'y a pas chez Félicien les fleurs trouvées dans les sacs contenant les restes de la victime
Il y avait dans la cuisine des lettres prouvant une liaison extraconjugale entre Félicien et une femme blonde entre le 6 janvier 1936 et le 17 mai 1951

Transfer

Die SuS sollen die für den Verlauf der Untersuchung relevanten Elemente auf die Fiche 2 „Procès–verbal du crime" bzw. Fiche 8 übertragen

Maintenant, vous allez compléter le procès–verbal de la procureure avec les éléments importants pour l'enquête.

Fiche 2
- La scie trouvée dans l'atelier de Félicien n'est pas l'arme du crime
- Il n'y a pas chez Félicien les fleurs trouvées dans les sacs contenant les restes de la victime

Fiche 8
- Félicien a eu une liaison extraconjugale avec une femme blonde entre le 6 janvier 1936 et le 17 mai 1951

7 La solution de l'énigme ?

« Nous avons trouvé l'assassin »

Hauptthema	Die scheinbare Lösung des Falls
Ziele	– Text– und Medienkompetenz
Dokumente	– Lektüre, Kapitel 34 und 35 – Fiche 2 : procès–verbal" – Fiche 14 : les règles d'écritude d'un journal
Zeitbedarf	1 Unterrichtsstunde

Einstieg

Die Hausaufgabe wird im Plenum besprochen. Aus dem Protokoll erhellt, das Félicien allem Anschein nach nicht der Täter sein kann.

1

Text–kompetenz
Plenum

Erarbeitung

Die SuS lesen nun das Kapitel 34 (Anfang bis „très respectueusement. L'officier de police"), notieren die Details, die in Bilder übersetzt wurden, und geben ihre Meinung zur bildlichen Übersetzung / Interpretation.

2

Text– und Medienkompetenz
(detailliertes Lesen)
*Einzelarbeit /
Plenumsgespräch*

Lisez individuellement les chapitre 34 (depuis le début jusqu'à « très respectueusement. L'officier de police ») et 35, puis notez toutes les informations importantes pour l'enquête et complétez la Fiche 2 : Procès–verbal du crime.

Lösungen

Félicien Nazarian est mort : il s'est suicidé vers 17 heures (en utilisant, pour se pendre, la corde avec laquelle il attachait Joël)
Félicien a laissé une lettre d'adieu où il reconnaît sa culpabilité
Motif : maladie mentale (« homme perdu dans son monde ») qui dix ans après avoir tué sa femme avec l'aide de sa maîtresse « tue le seul être qui lui reste sur la terre »)

Transfer

Im Plenum wird nunmehr das „Ende" der Kriminalgeschichte besprochen. Es ist davon auszugehen, dass die SuS dieses Ende nicht ohne Weiteres annehmen:
Die Schlussfolgerung, die der *Policier* und Provincio ziehen, berücksichtigt einige der bisherigen Untersuchungsergebnisse nicht:

4

einen Zeitungsartikel
vorbereiten
Fiche 2
Fiche 14

- Die Artefakte, die im Protokoll der Hausdurchsuchung erwähnt wurden, weisen eher auf Féliciens Unschuld hin.
- Die Briefe, die ebenfalls während der Hausdurchsuchung gefunden wurden, spielen keine Rolle.
- Darüber hinaus ist das Motiv nicht unbedingt stichhaltig.

Die Zurückhaltung, die die SuS bei diesem Ende wahrscheinlich empfinden, sollten in der Form eines Zeitungsartikels artikuliert werden. Das Verfassen desselben dient auch der langfristigen Vorbereitung des Prozesses (Vgl. UE 11).

Imaginez que vous êtes journaliste d'un grand quotidien. Vous devez écrire un article sur le crime horrible de P. En vous fondant sur la Fiche 2 « Procès verbal » et en respectant les consignes d'écriture d'un article de journal (Fiche 14), rédigez cet article, sans omettre les doutes concernant la fin de l'histoire.

Einige der Ergebnisse können anschließend vorgelesen werden.

---

8 Les doutes du garde champêtre

« le bon Félicien, il a pas pu faire ça »

Hauptthema	Die Zweifel des *garde–champêtre* an den Ergebnissen der Untersuchung
Ziele	– Textanalyse und Textinterpretation – Analyse der Sprachebenen 1
Dokumente	– Lektüre, Kapitel 50
Zeitbedarf	1 Unterrichtsstunde

Nachdem die Zweifel bezüglich des (provisorischen) Endes im Zeitungsartikel versprachlicht worden sind, soll die Arbeit am Text auf die zweite Fassung der Lösung des Kriminalfalls fokussieren.

Erarbeitung I

Die SuS arbeiten die Gründe des Zweifels von Provincio heraus

3 **Leseverstehen (detailliert, analytisch)**
Partnerarbeit

Alors que tout semblait résolu, nous avons vu que certains points restent encore flous dans les résultats de l'enquête. Même le garde champêtre se prend à douter. Lisez maintenant le chapitre 50 et relevez les causes du doute de Provincio.

Lösungen

Il connaît bien

- les habitants : « il y a un truc que je sais, c'est qui les habitants de P. Je les connais […] par cœur » (p.245 sq.)

- Félicien : « le Félicien, il aurait pas pu faire ça à son Joël » (p. 245) « Et je vous répéte que le bon Félicien, il a pas pu faire ça » (p. 246)

- les femmes [à propos des huit sacs des Galeries Lafayette] : « Sauf votre respect, madame la procureure, y a qu'une femme pour acheter autant de choses dans un magasin. Cherchez la femme qu'on dit toujours » (p. 248)

- l'histoire de Martine Moinard : jadis, elle était « jolie, très jolie » (p. 246) et faisait tourner la tête aux hommes du village. De plus les dates indiquées par les lettres d'amour coïncident avec les différentes étapes de la vie au village » → il soupçonne qu'elle est plus impliquée que Félicien dans le meurtre de Joël

Erarbeitung II

Angesichts der sozialen und kulturellen Überlegenheit des *Policier* fällt
es dem *garde champêtre* schwer, seine Zweifel zu äußern. Es ist daher
eine sinnvolle Aufgabe, mit den SuS zu untersuchen, wie es Puértolas
gelingt, sowohl Provincios niedere gesellschaftliche Stellung als auch die Art und Weise, wie er diese
wahrnimmt zum Ausdruck zu bringen.

4 Leseverstehen (detailliert)
Lektüre, Kap 31
Gruppenarbeit)

Il est bien sûr difficile pour Provincio d'exprimer face à la procureur ses doutes quant aux résultat obtenus
par son supérieur hiérarchique qui est aussi plus cultivé que lui, un petit garde champêtre.
Relisez maintenant ce chapitre et examinez comment Puértolas montre :
  1° que Provincio est un homme issu des classes populaires,
  2° qu'il hésite à faire part à la procureure de ses doutes.

Lösungen

1)
- Utilisation du langage familier
- Utilisation d'une syntaxe simplifiée (« quand même […] j'y crois pas », p. 245) Parfois même sentiment de parataxe : (J'ai beaucoup pensé […], p. 246)
- Suppression du « ne » dans la négation (par exemple, « je serais pas honnête »)
- Vocabulaire familier (« il y a un truc », « n'est pas au courant », s'acoquiner » etc.)
- Incertitude dans l'usage des formes de politesse et maladresse dans l'utilisation de formules admnistratives (« rayer la mention inutile », p. 244)
- Emploi du « on » à la place du nous.

2)
- Met en avant les mérites de l'officier de police avant de le critiquer
- Insiste sur la limitation de ses propres compétences
- Dit clairement qu'il n'a pas de preuves

Mise en commun

Lösungen

5 Hypothesen über den
weiteren Verlauf der
Geschichte aufstellen
Gruppenarbeit

Solutions individuelles

9 Le courage d'un garde champêtre

Hauptthema	– Die Ereignisse einer turbulenten Nacht
Ziele	– Leseverstehen – Eine Handlungskette rekonstruieren – Für das Potential eines Briefromans sensibilisieren – Analyse der Sprachebenen 2
Dokumente	– Lektüre, Kapitel 60, 61, 62, 64, 65 (extrait) – Fiche 2 : Procès–verbal du crime – Fiche 9 : Fiche signalétique de Martine Moinard – Fiche 20 : La nuit fatidique
Zeitbedarf	ca. 3 Unterrichtsstunden

Die Nacht von Sonntag zu Montag ist einer der entscheidensten Momente im Roman. Provincio, der bereits Zweifel geäußert hatte, recherchiert auf eigene Faust weiter. Seinerseits glaubt der *Policier* zunehmend, dass Martine eine Rolle in der Ermordung Joëls gespielt hat und beschließt, ihr nachts einen Besuch zu erstatten.

Erarbeitung I

Die Klasse / der Kurs wird in fünf Gruppen unterteilt. Es ist zu emp-fehlen, die Kapitel, die unterschiedlich lang sind, je nach Sprach-kompetenz der SuS zu verteilen.

Jede Gruppe erarbeitet die Chronologie des ihr zugeteilten Abschnitts.

1 **Leseverstehen**
Resümee verfassen
Lektüre, Kap 60, 61, 62, 64
Gruppenarbeit

Vous allez maintenant lire quatre chapitres en groupe et dresser, pour chacun d'entre eux la chronologie de la nuit de dimanche à lundi.

Lösungen

Kap. 60 (4 Seiten)

L'officier de police

- quitte l'hôtel, p. 281
- prend l'auto de Raymond, p. 281
- roule vers la maison de Martine Moinard, p. 281
- gare son auto sur un chemin de terre et continue à pied, p. 282
- arrive à la maison de Martine et en fait le tour, p. 282
- jette un regard dans la maison à travers un hublot et finit par pénétrer dans la maison, p. 283
- voit les fleurs trouvées dans les sacs où se trouvaient les restes de Joël et la scie, p. 284
- est assommé par un violent coup de pelle

Kap. 61 (5 Seiten)

Le garde champêtre

- réfléchit, vers 22 heures à la relation qu'il a découverte entre Martine et Félicien, p. 285
- pense aux événements un peu étranges dans les années 30, p. 286
- se souvient d'un passage, dans une des lettres d'amour, qui évoque un couloir et pense à un passage secret qui devait exister entre les maisons de Félicien et de Martine, p. 287
- se rend vers 22 heures 45, chez un employé du cadastre qui confirme l'existence d'un tel passage secret, p. 288

Kap. 62 (4 Seiten)

L'officier de police

- se réveille et voit Martine Moinard qui lui fait peur, p. 290
- éprouve une grande soif, p. 290
- prend conscience d'être ligoté sur une chaise, p. 291
- voit les fleurs et apprend que Martine les cultivait pour Joël, p. 292
- comprend que Martine se doute qu'il pense qu'elle a tué Joël, p. 293
- apprend que Martine a mis un puissant somnifère dans l'orangeade qu'elle lui a servi, p. 293

Kap. 64 (7 Seiten)

Le garde champêtre

- se met en route vers minuit pour aller chercher le tunnel, p. 298
- trouve l'entrée du tunnel dans la cave à vin, p. 299
- part vers 1 heure 25 en auto pour l'hôtel où il espère rencontrer l'officier de police, p. 300
- croise, sur la route de l'hôtel, la voiture de Raymond, p. 300
- comprend à l'hôtel que c'est l'inspecteur qui conduisait l'auto de Raymond, p. 300
- se met à chercher l'officier de police dans le village, en vain, p. 301
- repart chez Félicien et entre dans le tunnel, p. 302
- découvre, au bout du couloir, l'inspecteur ligoté sur une chaise avec du sang séché à ses pieds, p. 302
- constate que l'inspecteur a été drogué, p. 303
- fait vomir l'officier de police, p. 305
- avoue à l'inspecteur ne pas être armé, p. 304
- voir Martine entref dans la garage, portant une robe couverte de sang, p. 304

Kap. 65 (→ p. 306 « Comme si rien de tout cela ne la concernait », 2,5 Seiten)

L'officier de police

- voit Provincio attraper Martine et la plaquer contre le mur, p. 306
- puis sombre dans le sommeil, p. 306
- se réveille vers midi dans une des chambres de la maison de Martine Moinard, p. 306
- voit, quand il descend au salon, Provincio et plusieurs autres gendarmes en train de fouiller les lieux et Martine, menottée à une chaise, p. 307

Erarbeitung II

In einem zweiten Schritt werden die Gruppen neu gemischt: In jeder Gruppe arbeiten nunmehr SuS zusammen, die jeweils einen Abschnitt analysiert haben. Nun sollen die Ergebnisse der ersten Phase zusammengetragen und eine Gesamtchronologie erarbeitet werden.

2 Erstellung einer Gesamtchronologie *Gruppenarbeit*

Sinn der Aufgabe besteht darin, die SuS für die Polyphonie sowie das Spiel mit der Zeit zu sensibilisieren, die ein Briefroman ermöglicht.

Hierfür sollen sie in Gruppen die gesammelten Informationen aus der Phase Erarbeitung II tabellarisch darstellen.

Vous allez maintenant essayez de dresser le tableau chronologique des événements de la soirée selon les critères indiqués ci–dessous et notez ce que vous constatez.

heure

Officier (chap.)

Action

Lieu

Provincio (chap.)

Action

Lieu

Que constatez–vous dans le déroulement de l'action telle que la relatent l'officier de police et Provincio ?

Lösungen

heure	22 heures	22 heures 45		Vers minuit				1 heure 25						Midi
Officier (chap.)	60								62				65	
Action				quitte l'hôtel	roule vers la maison de Martine	entre chez Martine	est assommé		se retrouve ligoté A bu du Torrox	voit Provincio entrer dans la pièce		voit Provincio assommer Martine		se réveille
Lieu				sur la route	maison de Martine	maison de Martine	maison de Martine	maison de Martine	maison de Martine	maison de Martine	maison de Martine	maison de Martine	maison de Martine	maison de Martine
Provincio (chap.)	61			64										
Action	réfléchit au passé	confirme l'existence du tunnel	réfléchit	trouve l'entrée du tunnel	croise l'auto de Raymond				cherche l'inspecteur Comprend qu'il était dans l'auto	cherche l'inspecteur	entre dans le tunnel	trouve l'inspecteur	fait vomir l'inspecteur Veut le délivrer	assomme Martine
Lieu	chez soi	chez un ami du cadastre	chez soi	maison de Félicien	sur la route				hôtel	village	maison de Félicien	maison de Martine	maison de Martine	maison de Martine

40

On constate que
- l'action ne correspond pas au déroulement des chapitres.
- les récits des deux personnages se chevauchent
- l'écart entre les deux récits crée un jeu d'échos
- la différence temporelle interroge la linéarité traditionnelle des romans qui fonctionnent généralement en recourant simplement à la prolepse ou à l'analepse

Damit diese Chronologie eingeblendet werden kann, ist sie am Ende des Dossiers zu finden (Fiche 20: La nuit fatidique)

Transfer

Die SuS sollen die für den Verlauf der Untersuchung relevanten Elemente auf die Fiche 2 „Procès–verbal du crime" übertragen und die Fiche 9 „Fiche signalétique de Martine Moinard" ergänzen.

Maintenant, vous allez compléter le procès–verbal de la procureure (Fiche 2) avec les éléments importants pour l'enquête. Complétez aussi la fiche signalétique de Martine Moinard (Fiche 9).

Fiche 2
Les fleurs trouvées dans les sacs avec les restes de Joël ainsi que la scie proviennent de la maison de Martine Moinard
Martine Moinard tente d'assassiner l'officier de police

Fiche 9
Martine Moinard a certainement eu une liaison avec Félicien Nazarian

10 L'aveu

« Je ne voulais pas faire de mal à Joël, mais…. »

Hauptthema	Das Geständnis von Martine Moinard
Ziele	– Leseverstehen (detailliert und selektiv)
Dokumente	– Lektüre, Kapitel 63 – Fiche 2 : Procès–verbal du crime – Fiche 9 : Fiche signalétique de Martine Moinard
Zeitbedarf	max. 1 Unterrichtsstunde

Der Mord an Joel scheint nun aufgeklärt: Das Werkzeug des Mordes ist gefunden worden, der Tatort steht fest und der Versuch, den *Policier* zu ermorden deutet auf Martine als Täterin hin. Ihr Motiv bleibt allerdings unklar und soll in dieser Stunde beleuchtet werden.

Erarbeitung

Die SuS sollen im Kapitel 63 nach Gründen für den Mord durch
Martine suchen.

Vous allez maintenant lire le chapitre 63 et rechercher les raisons pour
lesquelles Martine a tué Joël. Vous reporterez vos éléments de réponse sur les
fiches de travail « Procès verbal » (Fiche 2) et « Fiche signalétique de Martine
Moinard » (Fiche 9)

1 Leseverstehen (detailliert)
Lektüre, Kap 63
Fiche 2 : Procès–verbal du crime
Fiche 9 : Fiche signalétique de Martine Moinard

Lösungen

Fiche 2
Martine a tué Joël pour le protéger des coups que lui assénait Félicien
Elle voulait faire mal à Félicien en lui enlevant Joël
Elle avait l'intention de se venger de Félicien parce qu'il avait mis un terme à leur relation extraconjugale
après la mort de sa femme

Fiche 9
Martine a été profondément blessée quand Félicien l'a quittée après la mort de sa femme

11 Le procès

*« la guillotine aura
finalement sa tête à
couper »*

Hauptthema	Der Prozess von Martine
Ziele	Einen Prozess inszenieren Das gattungsgerechte Verfassen von verschiedenen Textsorten (Prozessbericht durch den *greffier* und Zeitungsartikel von Journalisten)
Dokumente	Fiche 2 : Procès–verbal du crime Fiche 3 : Fiche signalétique de la victime Fiche 4 : Fiche de renseignements sur Provincio Fiche 5 : Un policier exemplaire Fiche 6 : Audition du « médecin légiste » Fiche 8 : Fiche signalétique de Félicien Nazarian Fiche 9 : Fiche signalétique de Martine Moinard Fiche 11 : HV l'interrogatoire de Félicien Fiche 13 : l'organisation du procès Fiche 14 : Comment écrire un article de journal
Zeitbedarf	ca. 3 Unterrichtsstunden

Eine Debatte zu führen oder sogar einen Prozess im Fremdsprachenunterricht zu organisieren ist eine beliebte Methode, die hier allerdings organisch aus der Herangehensweise der Bearbeitung des Romans abgeleitet ist.

Der Prozess stellt hier gewissermaßen die wichtigste Stunde in der Bearbeitung des Romans dar, da dessen Organisation im Sinne eines synthetischen Arbeitens auf den meisten bisher hergestellten Materialien beruht. Bedeutsam sind dabei auch die Fiche 4 („Fiche de renseignements sur Provincio") und Fiche 5 („Un policier exemplaire"), da die dort aufgezeichneten Charaktereigenschaften bei der Zeugenaussage eine Rolle spielen kann.

Aus Gründen der Praktikabilität wurde die Anzahl der am Prozess beteiligten Personen auf folgende Personen eingeschränkt:

- Président du tribunal
- Avocat général
- Avocat de la défense
- Le greffier
- L'accusée
- Témoins :
  - L'officier de police
  - Le garde champêtre Provincio
  - Le médecin légiste
- Les journalistes

Ebenfalls wurde der festgelegte Ablauf des Prozesses reduziert.

Einstieg

Die Lehrkraft erklärt den SuS das Ziel der heutigen Stunde:

Aujourd'hui, nous allons mettre en scène le procès de Martine Moinard, accusée d'un crime capital contre Joël.
Pour cela, nous allons découvrir comment se déroule un procès devant un tribunal. Sur la Fiche 13, vous pouvez voir comment une salle d'audience est disposée et comment se déroule un procès.

1 | Leseverstehen
Fiche 13 : L'organisation du procès
Eventuell Fiche 15 : l'abolition de la peine de mort en France

Dann werden die zwei ersten Abschnitte der Fiche 13 gemeinsam gelesen und eventuelle Verständnisprobleme geklärt.
Anschließend wird auf das Problem der Todesstrafe eingegangen und darauf hingewiesen, dass der *Policier* mehrfach die Guillotine erwähnt, da die Todesstrafe in Frankreich erst 1981 abgeschafft wurde.
Sollten sich einige SuS für das Thema interessieren, können sie sich als Hausaufgabe mit der Fiche 15 „l'abolition de la peine de mort en France" befassen.

Dann wird auf Fiche 13 die Gesetzeslage gelesen.

Pour préparer le procès, nous allons aussi examiner le cadre légal. En France, le Code pénal proclamé par Napoléon en 1810 reste valable, même si certains articles ont été bien sûr modifiés.

Erarbeitung

Nachdem der Verlauf des Prozesses erläutert wurde, bekommen die SuS ihre Rolle zugeteilt. Eine Zuteilung durch die Lehrkraft nach Leistungsfähigkeit der SuS erscheint sinnvoll.

2   Schreibkompetenz
Einzel– / Partnerarbeit

Da die Rollen eingearbeitet werden sollen, sind zwei Varianten möglich: Entweder bereiten sich die SuS in Einzelarbeit auf ihre Rolle zu Hause vor – was dahingehend Sinn ergibt, als einige Rolle (wie die des Gerichtspräsidenten, des Staatsanwalts und des Anwalts) eine intensivere Vorbereitung erfordern, während der *greffier* und die Journalisten erst während der Verhandlung wirklich tätig werden. Oder die SuS bereiten sich in Gruppen auf die jeweilige Rolle vor, die von einem dann übernommen wird.
Für diese Phase ist es sinnvoll, ca. 60 Minuten einzuplanen, damit die SuS Zeit haben, die verschiedenen Phasen des Prozesses minutiös zu planen. Je nach Leistungsstärke können die SuS einfache Stichpunkte oder Texte bzw. Textbausteine aufschreiben.

Sicherung

Die Ergebnisse werden im Plenum in der Form des Prozesses vorgetragen.
Während der Gerichtsverhandlung verfassen sowohl der Gerichts-vollzieher als auch die Journalisten Notizen.

3   *Plenum*
Fiche 13

Nach Beendigung der Beweisaufnahme und der Plädoyers vertagt der Gerichtspräsident die Urteilsverkündung auf die folgende Stunde.

Mögliche Lösungen

Mögliche Aspekte bei der **Zeugenbefragung**

– Médecin légiste :

- Manière dont Joël a été assassiné (endormi avec un puissant somnifère puis découpé à la scie et déposé en morceaux dans des sacs
- Question de l'écart entre le lieu du crime et celui de la découverte du cadavre
- Présence de fleurs très particulières dans les sacs où ont été découverts les restes de Joël

– Policier :

- Récit des différentes étapes de l'enquête
- Insistance sur la difficulté à enquêter dans un monde qui lui est étranger
- Importance de ses capacités de déduction logique et de ses compétences techniques pour résoudre l'énigme
- Mise en valeur du rôle de Provincio

– Provincio

- Caractère déterminant de sa connaissance du monde rural et du village de P en particulier
- Incrédulité, pour cette raison, face aux premières conclusions de l'enquête (refuse de croire que Félicien soit le coupable
- Découverte de la liaison entre Félicien et Martine
- Découverte du passage secret oublié entre les deux maisons
- Respect profond pour l'officier de police et désir de le protéger

Mit einer leistungsstarken Schülergruppe kann auf die jeweilige Sprachebene beider Protagonisten ge-achtet werden.

Réponses possibles dans les plaidoyers

– du Procureur de la République

- Mise en évidence qu'il s'agit ici d'un meurtre avec préméditation
- Preuve du caractère odieux de ce crime dû au ressentiment d'une femme délaissée il y a des années par son amant dont elle veut se venger
- Sang–froid de l'accusée qui a essayé de détourner les soupçons sur Félicien et a fini par le pousser au suicide
- Caractère abominable de l'accusée qui a essayé de tuer l'officier de police
- ➜ Demande la peine de mort

– de l'avocat de la défense

- Reconnaît globalement le meurtre de Joël
- Insistance sur le fait que l'accusée est–elle–même la victime
- Mise en évidence que Martine Moinard a tué Joël pour les protéger des mauvais traitements que lui infligeait Félicien
- Précision apportée sur le fait que Martine ne pouvait pas supporter les coups affligés à Joël
- Doute jeté sur le fait qu'elle ait voulu tuer l'officier de police : elle a été prise à l'improviste et a réagi dans la panique
- Insistance sur l'instabilité psychologique de Martine
- ➜ demande la relaxation

Je nach sprachlicher Stärke der involvierten Teilnehmer können die Plädoyers des Staats– bzw. des Rechtsanwalts rhetorisch ausgebaut werden. Gegebenenfalls kann die Lehrkraft den SuS eine kleine Hilfestellung bezüglich des Aufbaus einer Rede im juristischen Kontext geben (Fiche 13).

Hausaufgabe

Die Hausaufgabe besteht darin, sowohl den „objektiven" Prozess-ablauf seitens des Gerichtsbeamten als auch zwei Zeitungsartikel zu verfassen, die sich jeweils für oder gegen eine harte Bestrafung von Martine aussprechen.

 4 Fiche 14 : Comment écrire un article de journal

Diese Aufgabe soll den SuS ermöglichen, erstens die Argumentationsstränge des Staats– bzw. des Rechtsanwalts zu wiederholen und somit die Bedeutung der Intentionalität beim Verfasser eines Textes bewusst zu werden (dabei fungiert der Bericht des Gerichtbeamten als *pierre de touche*), und zweitens die Übertragung einer Gattung in die andere zu üben.

Lösungen zu Fiche 15 (optional)

1)
La France était le dernier pays à pratiquer encore la peine de mort (sans la commuter en detention à perpétuité).
R. Badinter avait été choqué que le complice d'un meurtrier ait été condamné sans avoir lui–même commis un meurtre.
Un autre criminel, Christian Ranucci, avait été exécuté alors que des doutes sur sa culpabilité subsistaient.
La décision de Robert Badinter était courageuse car, à cette époque, la majorité des Français était encore favorable à la peine de mort.

[die Lehrkraft kann im Anschluss darauf verweisen, dass Robert Badinter (* 1928) jüdische Wurzeln hat, und dass mehrere Mitglieder seiner Familie – darunter sein Vater – der Shoah zum Opfer gefallen sind].

2)
Europe : Biélorussie
Afrique
Asie, en particulier en Chine
Amérique : certains états des Etats–Unis.

3) Faut–il, selon vous abolir la peine de mort dans tous les pays du monde ?

La peine de mort est nécessaire :
- Elle constitue une forme de réparation pour les victimes ;

- Elle permet de protéger la société des personnes dangereuses ;

- Elle a un effet dissuasif ;

- Exécuter un criminel coûte moins cher que de l'emprisonner à vie.

La peine de mort doit être abolie :
- Elle contredit les impératifs religieux « Tu ne tueras point » (cinquième commandement du Décalogue) ;
- Elle s'oppose à un des droits fondamentaux de l'Homme : le droit à la vie ;
- Elle contredit l'idée d'une réinsertion sociale possible des criminels ;
- Elle n'a pas vraiment de caractère dissuasif ;
- Elle ne permet pas de rétablir la justice en cas d'erreur judiciaire.

12 Le rideau tombe

Hauptthema	Die Klärung des Falls
Ziele	– Die Bewusstwerdung der Bedeutung der Intentionalität beim Schreiben – Die Entlarvung der Irreführung – die Formulierung von Hypothesen
Dokumente	Lektüre, Kapitel 71
Zeitbedarf	max. 2 Unterrichtsstunden

In dieser Stunde soll der Vorhang endlich fallen.

Hinführung

Ausgewählte Berichte der „Journalisten" sowie der Bericht des Gerichtsbeamten werden vorgelesen und im Plenum kommentiert. Die Intention des Textes wird anhand kurzer Fragen überprüft:

1   Hausaufgabe

Ist der Verlauf der Geschichte vollständig?

Wurde etwas weggelassen?

Was wird hervorgehoben?

Erreicht der Bericht das ihm zugrundeliegende Ziel?

Ziel ist festzustellen, dass im Vergleich zum „neutralen" Bericht des Gerichtsbeamten die Journalisten, je nachdem ob sie sich für eine harte oder eine milde Bestrafung der Angeklagten aussprechen, ihre Boshaftigkeit oder ihre Unzurechnungsfähigkeit hervorheben.

Avant d'entendre le verdict, nous allons écouter le rapport du greffier, deux des « reportages » écrits par les journalistes et les juger d'après les critères suivants :
Le journaliste rapporte–t–il tous les faits ?
Quels éléments a–t–il négligés ?
Est–ce que le reportage répond à l'intention du journaliste ?

Erarbeitung

Im Anschluss bereiten sich die SuS auf die Verkündung des Urteils vor.

2   Hör– und Leseverstehen
Plenum

Maintenant, nous allons reconstituer la salle du tribunal pour entendre le verdict.

Sobald der Gerichtspräsident das Urteil verkündet hat, interveniert die Lehrkraft.

Stop. Je viens de recevoir un télégramme de l'officier de police.

Dann wird das Telegramm (das auf einem Originalformular aus 1955 verfasst worden ist) vorgelesen. Damit dieses gegenfalls der Klasse gezeigt werden kann, wurde es am Ende des Dossiers abgebildet

(Fiche 21: Le télégramme).

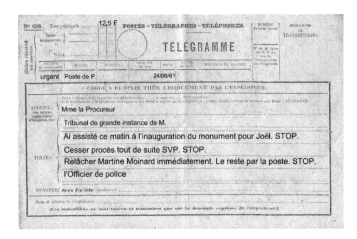

Im Anschluss werden Hypothesen formuliert, warum der Policier dazu aufruft, den Prozess zu beenden.

A votre avis, pourquoi le policier demande–t–il d'arrêter le procès ?

Mögliche Lösungen

L'officier de police
- a trouvé le vrai / la vraie coupable
- s'est aperçu qu'une fois de plus il avait négligé un événement
- a découvert que Martine Moinard n'était pas présente à P le soir du meurtre

Erarbeitung II

Die SuS lesen nunmehr das 71. Kapitel (S. 342–343 → „pas un être humain, non, un âne".

3 | Kap. 71
Leseverstehen
Einzelarbeit

Vous allez maintenant lire deux des dernières pages du roman pour expliquer la raison du télégramme.

Lösungen

Joël n'était pas un enfant, mais bien plutôt un âne.

13 Complément : « l'affaire des lignes téléphoniques » (Ausdifferenzierung)

Hauptthema	Die Klärung eines sekundären Falls im Roman
Ziele	– Leseverstehen – Ausdifferenziertes Arbeiten
Dokumente	Lektüre, Kapitel 11, 16, 33 und 36
Zeitbedarf	max. 2 Unterrichtsstunden

Für interessierte SuS, die sich mehr engagieren wollen, kann im Sinne einer Differenzierung eine Aufgabe erteilt werden, die zu Hause erledigt werden soll.

Diese soll zur Klärung eines im Roman sekundären Polizeifall führen: die Sabotage der Telefonlinien durch den Bürgermeister, der gleichzeitig der Besitzer eines Marmeladeunternehmens ist. Er fürchtet, dass der Mord an Joël zu einer negativen Werbung führen könnte.

Nachdem die SuS mit der Arbeitsweise am Roman vertraut worden sind (Herstellung und Bearbeitung des *Procès–verbal*) dürfte es ausreichend sein, ihnen die zu bearbeitenden Kapitel sowie das Fiche 16 „Der Fall Boniteau" zu geben.

Aufgabestellung

Dans le roman, un autre cas criminel s'ajoute à celui de Joël.
A vous d'enquêter maintenant sur le déroulement du crime et les motifs du délinquant.
Pour ce faire, vous lirez ou relirez les chapitres 11, 16, 33 et 36 et essaierez de trouver le coupable et ses motifs, ainsi que de reconstituer le délit, afin de remplir la Fiche 16.

1   **Kap. 11, 16, 33 und 36**
Fiche 16 : Procès-verbal de
« l'Affaire Boniteau »
Einzelarbeit

Erwartete Antworten

Les faits : les lignes de téléphone ne fonctionnent plus.

Lieu et date : lundi 17 juillet 1961, vers 12 heures 30, les lignes ont été coupées (pp. 16, 33, 36).

Suspect : Monsieur Boniteau (p. 36), aidé par un certain Roger (pp. 33, 36), sans doute employé à l'usine de confitures.

Témoin auditionné : Monsieur Amato qui a entendu les saboteurs des lignes (p. 33).

Le motif du délinquant : Crainte que le meurtre de Joël ne s'apprenne dans la région et que la prospérité de l'usine de confiture soit menacée (pp. 11, 36).

Unité 3 : Contre–enquête (après la lecture)

Im Modul 3 sollen die SuS dafür sensibilisiert werden, wie Puértolas mit seinen Lesern bzw. mit literarischen Gattungen spielt. Dabei sollen sich die SuS bewusst werden, dass das literarische Schreiben zwar Elemente aus dem Unbewusstsein des Autors an den Tag bringt, was bei Puértolas zur Herauskristallisierung von Hauptmotiven führt, aber auch das Produkt einer sehr bewussten Konstruktion darstellt.

14. « Vous vous êtes bien fait avoir »

*« quelque chose que
l'on essaye de vous
dire depuis le début »*

Hauptthema	Die literarische Irreführung des Lesers
Ziele	Herausarbeitung der Mittel, mit denen der Autor das dem Roman zugrunde liegende Missverständnis aufrechterhält
Dokumente	– Lektüre, Kapitel 1 – Fiche 17 : « quelque chose que l'on essaye de vous dire depuis le début »
Zeitbedarf	2 Unterrichtsstunden

Die SuS lesen zunächst allein das erste Kapitel, in dem der Autor sich an den Leser richtet und die große Überraschung des Endes bereits ankündigt.
Ziel der Stunde ist daher zu sehen, warum die Leser trotz der Ankündigung dem Missverständnis unterliegen.
Die in dieser Stunde evozierten Mittel sind selbstverständlich exemplarisch.

Einstieg

Die SuS lesen in Einzelarbeit das erste Kapitel und arbeiten die Sprechsituation sowie die Hauptinformation des Kapitels heraus.

1 **Leseverstehen**
Lektüre, Kap 1
Einzelarbeit

Maintenant, vous allez lire individuellement le premier chapitre pour déterminer la situation d'énonciation, d'une part, et rechercher les informations principales données par l'auteur.

Lösungen

Die Lösungen werden im Plenum zusammengetragen.

2 *Plenum*

- Il s'agit d'un dialogue entre l'auteur et le lecteur
- L'auteur « informe » le lecteur d'un « coup de théâtre final époustouflant qui remet tout le récit en cause » (p. 14)
- Il informe que son récit abusera le lecteur « vous vous apercevez que vous vous êtes bien fait avoir » (p. 14)
- Il explique pourquoi le récit n'est publié que maintenant : à la mort du policier, « on retrouva sous son lit une boîte à biscuit contenant neuf bandes magnétiques d'enregistrement, une liasse de neuf lettres et quelques feuilles volantes, le tout réuni sous le nom de Affaire Joël » (p. 14)

Lehrervortrag

Die Lehrkraft macht die SuS darauf aufmerksam, dass es sich bei
einem solche „Fund" um einen Topos der Literatur handelt.[9]
Darüber hinaus funktioniere eine solche Irreführung in der Regel nur
dadurch, dass in unserer Kultur das Primat eines extensiven Lesens zu Lasten eines intensiven Lesens
herrscht[10], so dass der Leser durch die Gewohnheit des schnellen Lesens oft etwas übersieht.
Allerdings hat Puértolas die dem Roman zugrundeliegende Irreführung minutiös vorbereitet.

Erarbeitung

Die SuS bekommen die Fiche 17. Nachdem ein Beispiel im Plenum
unter Anleitung der Lehrkraft vorgenommen worden ist, sollen sie
anhand von ausgewählten Abschnitten herausarbeiten, mit welchen
Mitteln Puértolas die Irreführung aufrechterhält.
Dabei sind je nach Stärke der Lerngruppe zwei Wege möglich: Entweder arbeiten sie ganz selbstständig
diese Mittel heraus oder sie erhalten eine zusätzliche Hilfestellung, indem diese Mittel auf dem Arbeitsblatt
erwähnt und (selbstverständlich begründet) zugeordnet werden.

Die Lösungen werden im Plenum zusammengetragen.

Lösungen

A 5
Jeu sur les mots : L'auteur joue ici sur le double sens du mot « sabot » (*Holzschuh* et *Huf*)

Jeu sur les préjugés : l'officier de police considère que les habitants du village sont un peu sous–développés.

B 7
Jeu sur les mots : L'auteur joue ici sur le double sens du mot « âne » (*Esel* et *schlechter Schüler*)

Jeu sur les préjugés : l'auteur exploite les préjugés de l'officier de police pour qui les campagnes ont leurs
propres lois (un nom patronymique, par exemple, n'est pas indispensable). A cela s'ajoute la mention du
« Ricard », suggérant une forme d'alcoolisme des citadins.

Dazu kann die Lehrkraft Folgendes ergänzen:
Le roman, dans son onomastique même, exploite ce préjugé : le garde champêtre s'appelle par exemple
Provincio, ce qui renvoie évidemment au « provincial » qui, aux yeux de certaines personnes issues ou de
la capitale française ou encore de grandes villes, constitue presqu'une injure.

---

[9] Zur Vertiefung vgl. Angelet, Christian „Le topique du manuscrit trouvé". In : Cahiers de l'Association internationale
des études francaises, Bd. 42 (1990), pp. 165–176 et *Le topos du manuscrit trouvé*, sous la dir. de Fernand Hallyn
et Jan Herman, actes du colloque international, Peeters, Louvain/Paris, 1999.

[10] Kraus, Dorothea : „Appropriation et pratiques de la lecture Les fondements méthodologiques et théoriques
de l'approche de l'histoire culturelle de Roger Chartier". In : *Labyrinthe*, 3 (1999), https://journals.opene-
dition.org/labyrinthe/56#tocto2n2   (consulté le 25/05/2020).

C 6

Jeu sur l'ambiguïté sémantique : Les propos de Martine jouent sur l'ambiguïté de « pauvre petit » suggérant que Joël aurait été un enfant.

Jeu sur le glissement logique : Alors que l'indication « j'aime les bêtes » pourrait être une indication claire que Joël n'est pas un humain, elle est détournée d'emblée : l'indication « on dit que c'est moi la folle » brise la structure logique de la phrase.

D 2

Jeu sur l'ambiguïté sémantique : Martine parle de Joël comme s'il était un enfant, ce qui permet la confusion.

Jeu sur le glissement logique : En faisant Martine revenir sur le terme « chien » (Enfin, « un chien »), l'auteur pourrait mettre la puce à l'oreille du lecteur. Mais Martine glisse aussitôt à l'idée suivante et parle de ses « vrais chiens ».

E 3

Jeu sur l'ambiguïté sémantique : Le curé donne l'impression de parler de Joël comme d'un enfant un peu innocent et simple d'esprit. Ces esprits simples, dans la tradition chrétienne ne pêchent pas (ce qui explique l'interprétation parfois un peu superficielle des béatitudes dans l'Evangile selon saint Matthieu (5,3) : « heureux les pauvres en esprit car le royaume des cieux est à eux ! »

Jeu sur le non dit : Quand l'officier de police demande si Joël allait à la messe, le curé répond par « – À la messe ? Quelle drôle d'idée ! ».

F 8

Jeu sur le non–dit : Félicien, au lieu de dire simplement « Oh ! » aurait pu dire « c'est un animal, je ne suis pas son père, fût–il adoptif ».

G 4

Jeu sur les préjugés : Dans la lettre qu'il écrit à la procureure, l'officier de police recherche une complicité avec la procureure, complicité fondée sur la conscience d'une culture commune (renvoi à Gulliver) et d'une supériorité par rapport à des habitants des campagnes, qualifiés de « barbares ». De l'une et l'autre émanent une consternation (« ces gens me sidèrent ») qu'ils partagent tous les deux.

H 1

Jeu sur l'ambiguïté sémantique : Dans sa phrase, Martine avoue avoir tué Joël, mais affirme en même temps qu'elle ne pourrait tuer un homme. Par là, elle indique bien que Joël ne peut être un homme au sens d'humain. Mais le lecteur comprend « homme » au sens d'adulte masculin. Et comme Joël était un enfant...

15. Les codes du roman policier

« le roman à énigme repose sur un "jeu intellectuel" » (Y. Reuter)

Hauptthema	La Police des champs... als Kriminalroman
Ziele	Bewusstwerdung der Art und Weise, wie Puértolas mit der Gattung des Kriminalromans spielt
Dokumente	– Fiche 18 : le roman policier – Lektüre, Kapitel 15, 53, 66
Zeitbedarf	3 Unterrichtsstunden

Damit klar erscheint, wie Puértolas mit der Gattung des Kriminalromans umgeht, muss man sich dessen Regeln bewusstwerden.

Die Herausarbeitung derselben kann im Unterricht im L/S–Gespräch erfolgen, sofern die SuS über genug Erfahrung beim Lesen von Kriminalromanen verfügen.[11]

Sollte dies nicht der Fall sein, kann die Lehrkraft die SuS mittels eines Kurzvortrags mit den Haupteigenschaften dieser Gattung vertraut machen.

Lehrervortrag

Auf die Tradition des Kriminalromans[12], der mit den Kurzgeschichten von Edgar Allan Poe beginnt, kann im Unterricht nur kurz eingegangen werden. Dessen Geschichten begründen u. A. die Gattung des sogenannten „roman à énigme", der La police des champs... zuzuorden ist. [13]

1

Lehrervortrag

Das Milieu des Kriminalromans: Die Tat stellt für die Welt, in der sie geschieht, etwas Unerhörtes dar, zumal der Täter oft zu dieser Welt selbst gehört. Daher erweist sich ein Kriminalroman oft als ein Kammerspiel.

---

[11] Angesichts der wachsenden Rolle der Kriminalromane im Deutschunterricht, deren Motivationspotential anerkannt wird, ist auszugehen, dass dies der Fall ist (vgl. Julia Knopf / Ann–Kristin Müller: „Kombinieren und Entschlüsseln. Zum Potential von Rätsel und Geheimnissen in Kinderkrimis für die Lesermotivation...". In: SuS JuLit – Heft 3 / 2018, S. 15–20).

[12] Zu den viel diskutierten Ursprüngen des Kriminalromans, die für einige bereits in der Antike nachzuweisen wären, vgl. Jean Bourdier: Histoire du roman policier. Paris : Editions de Fallois 1996, S. 19ff. sowie Jean–Claude Vareille : „Préhistoire du roman policier". In: Romantisme, 1986, n°53. Littérature populaire. S. 23–36.

[13] Im Vergleich zum „roman à enigme" steht beim „roman noir" weniger das zu lösende Rätsel als die Abenteuer, die dem Hauptprotagonisten widerfahren, und die Darstellung des Milieus des Geschehens im Fokus. Und der „roman à suspense" basiert auf einem Wechselspiel von schauderhafter Anspannung und Erleichterung beim Leser (vgl. Yves Reuter: Le roman policier. Paris: Nathan Université 1999, S. 56 ff.).

Das Opfer steht in der Regel im Zentrum eines Beziehungsgeflechtes, die im Laufe der Untersuchung durch den Detektiv durchleuchtet werden soll. Der Mord selbst liegt in der Vergangenheit und seine Brutalität erschient nur in den Erzählungen, die nun notwendig sind, damit er rekonstruiert werden kann.

Der Kriminalroman kann auf zwei Grundbegriffe zurückgeführt werden: „sagen" und sehen". Der Täter hat gehandelt, ohne gesehen zu werden und will dazu nichts sagen. Der Kriminalist hat nichts gesehen aber wird durch Worte das rekonstruieren, was er nicht sehen konnte. Sobald die Übereinstimmung zwischen dem Sagen und dem Sehen entstanden ist, ist das Rätsel gelöst.

Um zu dieser Übereinstimmung zu kommen, braucht der Kriminalist mehrere Eigenschaften: Er ist in der Regel ein guter Beobachter, der Indizien und Zeugenaussagen sammelt und sie auf der Grundlage seines breiten und fundierten Wissens systematisiert. Dank dieses Verfahrens gelingt es dem Detektiv, die Liste der Verdächtigen so zu reduzieren, dass am Ende nur noch eine Person als Täter in Frage kommt.

Der Verlauf der Handlung gleicht einer Verteilung der Information[14]; sodass ein Kriminalroman als intellektuelles Spiel zwischen dem Detektiv und dem Täter bzw. zwischen dem Autor und dem Leser betrachtet werden kann. Die verschiedenen Informationen setzen sich letztendlich zu einem Puzzle zusammen. Nichts soll das intellektuelle Spiel stören. Daher lehnen manche Autoren jegliche Liebesgeschichte seitens des Detektivs ab.

Dabei spielen die Indizien eine bedeutsame Rolle, die der Autor verstreut, um eine Informationen preiszugeben, die er gleichzeitig zurückhält.

Die Erzählperspektive erfolgt oft auktorial oder im Prisma des Detektivs, dessen Stimme oft von einem anderen, dem Detektiven nahen Protagonisten abgelöst wird.

Diese (selbstverständlich stark reduzierten) Eigenschaften des Kriminalromans können auf folgendem Tafelbild zusammengefasst werden.

---

[14] „L'enquête du détective est le nom que prend dans le roman la distribution de l'information" (A. Peyronie : „la double Enquête du roman policier à énigme", in: *Magazine Modernités, revue du Groupe de Recherches sur les Modernités*, n° 2, Criminels et Détectives, Université de Nantes, 1988, S. 129). Hier zitiert nach *Ibid.*, S. 42.

Homogénéité du milieu auquel appartiennent la victime et le coupable.

Le crime doit être reconstruit a posteriori pour atteindre une adéquation entre le voir et le dire

    Le coupable a vu mais ne raconte rien sur le crime

    L'enquêteur doit raconter mais n'a rien vu du crime

Le détective collecte les indices et les témoignages pour tirer ses conclusions (« Puzzle »)

Jeu entre la communication et la rétention d'information

    entre le coupable et l'enquêteur

    entre l'auteur et le lecteur

perspective narrative

    focalisation interne

    focalisation omnisciente (zéro)

    dédoublement, souvent, de la voix du détective par celle d'un proche

Erarbeitung I

Es handelt sich also hier um eine Gattung, die gewissermaßen strengen Regeln unterworfen wird (wenngleich zahlreiche Varianten möglich sind). Diese Regeln wurden bereits 1928 durch Williard Huntington Wright alias Van Dine (1888–1939) in *The American Magazine* aufgestellt.[15] Nun sollen die SuS diese Kongruenz zwischen einigen dieser 20 Regeln und dem Roman Puértolas' überprüfen.

2

Schreiben / sprechen
Fiche 18: le roman policier
Partnerarbeit

Il existe donc des règles assez précises pour la rédaction d'un roman à énigme. A titre d'exemple, on pourrait renvoyer à celles formulées dès 1928 par Van Dine, un célèbre critique américain. Vous allez choisir une des règles reproduites sur la Fiche 18 et vérifier avec votre partenaire si Romain Puértolas a respecté cette règle ou non.

---

[15]   Diese Regeln werde hier nach Jean Bourdier: *Histoire du roman policier.* Paris 1996, S. 95 ff. zitiert.

Lösungen

« 1. Le lecteur et le détective doivent avoir des chances égales de résoudre le problème ».

Puértolas joue sur les ambiguïtés (voir Fiche 17), mais le lecteur et l'officier de police disposent toujours des mêmes informations qu'ils interprètent plus ou moins subtilement.

« 5. On doit déterminer l'identité du coupable par une série de déductions, et non par accident, par hasard ou à la suite d'une confession volontaire ».

L'officier de police procède toujours par déduction à partir des indices trouvés sur le lieu du crime ou dans le village. En un premier temps, le roman semble pourtant s'écarter de la règle de Van Dine puisque Félicien avoue son crime avant que l'officier de police ne le confonde. Mais à la fin, l'identité de Martine, la coupable est bien le fruit de déductions faites par l'officier de police et du garde champêtre.

Die Lehrkraft kann auf die Metaebene verweisen, die folgende Bemerkung des ein wenig enttäuschten *Policier* im Kapitel 37 darstellt: « J'aurais aimé identifier le meurtrier moi–même. Des aveux sur un bout de papier de sept centimètres ont un goût de tricherie, de facilité qui sont autant de flèches que l'on plante dans mon amour–propre », p. 213).

« 10. Le coupable doit toujours être quelqu'un ayant joué un rôle véritable dans le roman, que le lecteur connaisse suffisamment pour s'y être intéressé. Accuser du crime, au dernier chapitre, un personnage qu'il vient de faire apparaître et qui a joué un rôle trop minime auparavant reviendrait, de la part de l'auteur, à un aveu d'impuissance vis–à–vis du lecteur ».

Martine est en effet un personnage majeur assez tôt dans le roman (chap. 66, voir Fiche 9). C'est elle qui oriente l'enquête sur Félicien, le premier coupable, et c'est sur elle que se concentrent les investigations de Provincio après qu'il a eu des doutes.

Elle est de plus un des personnages–clefs dans la constellation des personnages tissés autour de Joël.

« 14. La méthode selon laquelle le crime est commis et les moyens devant permettre de démasquer le coupable doivent être rationnels et scientifiques. La science–fiction, avec ses instruments dus à la seule imagination, n'a pas sa place dans un véritable roman policier ».

Le lecteur suit de fait l'enquête menée par un inspecteur rodé aux méthodes de la police scientifique (voir Fiche 5).

« 15. La clé de l'énigme doit être apparente tout au long du roman, à condition, bien entendu, que le lecteur soit assez perspicace pour la déceler. […] ».

Si le lecteur était plus attentif et moins prévenu que ne l'est l'officier de police, il pourrait percevoir les « pièges » tendus par l'auteur (voir Fiche 17).

« 19. Le mobile du crime doit toujours avoir un caractère strictement personnel. Le roman doit refléter les expériences et préoccupations quotidiennes du lecteur et offrir en même temps un exutoire relatif à ses aspirations ou à ses émotions refoulées ».

Le crime de Martine découle tant de l'attachement qu'elle portait à Joël que de la haine qu'elle avait développée pour Félicien après qu'il l'avait abandonnée au lendemain de la mort de sa femme (voir Fiche 9).
Le roman joue donc sur les sentiments fondamentaux de l'humain.

Erarbeitung II

Auf einen weiteren Aspekt soll hier das Augenmerk gelenkt werden:
Die kurze Liebesbeziehung zwischen dem Policier und der Floristin.
Die SuS sollen die Kapitel 15, 53, 66 lesen (auf das Kapitel 56 mit seiner vielleicht zu kruden Darstellung einer sexuellen Handlung wird bewusst verzichtet) und sie dann in Verbindung mit der dritten Regel setzen.

3 Leseverstehen
Fiche 18 : le roman policier
Partnerarbeit

Vous allez maintenant lire les chapitres 15, 53 et 66. Ensuite, vous regarderez la troisième règle de Van Dine. Que constatez vous ?

Lösungen

Alors que Van Dine recommande de ne pas intéger d'histoire d'amour à un roman à énigme, l'aventure amoureuse vécue par l'officier de police et la fleuriste joue un rôle non négligeable dans le roman.

Wichtig ist hier, dass die SuS Hypothesen formulieren, warum Puértolas von dieser Regel abweicht.
Dabei sind verschiedene Antworten seitens der SuS möglich:
- Les règles formulées par Van Dine ne sont pas un dogme (vgl. supra Erarbeitung I)
- La liaison amoureuse entre l'officier de police et la fleuriste donne un côté plus humain au premier qui, sinon, est souvent présenté comme très sûr de soi voire un peu arrogant.
- Peut–être s'agit–il d'une forme de métalangage (voir Lösungen zu Erarbeitung I, Regel 5) et d'un clin d'œil de l'auteur au lecteur. En effet, quand l'officier de police répète „Je ne dois pas me laisser charmer par une suspecte" (p. 123 2x, p. 257), on peut lire cette phrase, bien sûr, comme le désir du policier de rester « objectif » dans son enquête, et donc de ne pas tomber amoureux d'une suspecte, mais on peut la lire aussi comme un renvoi amusé à une règle de Van Dine dont il s'écarte délibérément.

Transfer

Wenn es zeitlich möglich ist, wäre es hier lohnenswert, die SuS dazu zu animieren, selbst eine kurze Kriminalgeschichte zu verfassen.
Dafür sind ca. 4 Unterrichtsstunden zu planen.

4 Schreiben / sprechen
Gruppenarbeit

Préparer l'histoire

Imaginer

- le crime qui a été perpétré (circonstances, déroulement)
- l'identité de la victime / celle du criminel
- les motifs du crime
- le milieu dans lequel a lieu / a eu lieu le crime. Il faut éviter de surcharger la description de ce milieu, mais se concentrer sur les éléments en rapport avec le crime.
- Qui sont les « faux » suspects. Pourquoi peuvent–ils être soupçonnés du crime ?
- La personnalité de l'enquêteur. Agit–il seul ? A–t–il un assistant ?
- Des indices. Sont–ils des indices verbaux (présents dans les récits, les dialogues) ou des indices matériels (trace de sang, instrument du crime etc.) Dans quelle mesure renvoient–ils aux suspects éventuels ?

Préparer le récit

- Choisir le point de vue (focalisation zéro ou externe)
- Déterminer la chronologie
- Définir les rebondissements (péripéties)

Bonne chance !

Lösungen

Individuelle Antworten.
Je nachdem welche Form ausgewählt worden ist, kann diese Arbeitsphase in einer geschriebenen Geschichte, in einem Theaterstück, ja sogar in einem Kurzfilm münden.

16. Le roman épistolaire

Hauptthema	*La Police des champs...* als Briefroman
Ziele	Bewusstwerdung der Art und Weise, wie Puértolas mit der Gattung des Kriminalromans spielt Sensibilisierung für die Unterschiede zwischen offiziellem Brief, Brief an eine vertraute Person und Liebesbrief
Dokumente	– Lektüre, Kapitel 8, 12, 70 – Lektüre, Kapitel 50 – Lektüre, Kapitel 38–40
Zeitbedarf	3 Unterrichtsstunden

Eine weitere Gattung, mit der Puértoas spielt, ist der Briefroman. Genauso wie beim Kriminalroman ist daher die Kenntnis des *roman épistolaire* und der Gattung des Briefes notwendig. Sie im Unterricht zu thematisieren ist umso wichtiger, als die Gattung „Brief" zu den beliebtesten Formaten bei Aufgabenstellungen in Klausuren und beim Abitur gehört. Zwar wird in der Zwischenzeit der Brief oft durch die E–Mail ersetzt. Trotz der objektiven Unterschiede (in der Schnelligkeit, der Länge usw.) ähneln sich beide Gattung bereits im realen Leben[16] und im schulischen Kontext noch mehr.

Lehrervortrag

La police des fleurs, des arbres et des forêts ist der auf das frühe 18. Jahrhundert zurückzuführenden Gattung des Briefromans zuzuordnen, bzw. derer Tradition der Polyphonie.[17] Maßgeblich für die Entstehung dieser Gattung war der Ruf nach mehr Authentizität und somit die Abgrenzung zum damaligen als unglaubhaft betrachteten Abenteuerroman. Diesem Ruf nach Wahrhaften trug das Vorwort des vermeinlichen Herausgebers Rechnung.

1

Lehrervortrag

Diese Tradition übernimmt Puértolas anscheinend, indem er seinen Roman zu einem Nachlass stilisiert, der nach dem Tod eines berühmten Polizisten gefunden worden sei (S. 14). Ebenfalls zur Authentizität trägt die Form des Romans bei, der aus „authentischen" Zeugenaussagen, Transkriptionen von Aufnahmen usw. besteht. Nicht zuletzt spielt der Autor mit den verschiedenen Zeitebenen, die ein Briefroman erlaubt (vgl. „le courage d'un garde champêtre").

---

[16]   vgl. Meier, Jörg: „Kommunikationsformen im Wandel. Brief – E–Mail – SMS". In: *WerkstattGeschichte*, 60 (2012), S .65: man kann „E–Mail–Korrespondenz durchaus als Fortführung der Kommunikationsform Brief in einem neuen Medium bezeichnet werden, nicht nur weil E–Mails als »Mittler eines Gesprächs mit Abwesenden« fungieren. […]. In der Regel verfügen Briefe und E–Mails über die gleichen konstitutiven Textstrukturelemente Anrede, Textkörper und Grußformel, und es kommt bei beiden Kommunikationsformen zu vielfältigen Abweichungen von diesem Grundmuster" (S. 65).

[17]   Der Briefroman entsteht ab dem 17 Jahrhundert, weil er im Gegensatz zu den damaligen Romanen als authentischer gilt. Zur Typologie des Briefromans und seiner historischen Entwicklung vgl. Calas, Frédéric: *Le roman épistolaire*. Paris: Armand Collin 2001 und Versini, Laurent: *Le roman épistolaire*, Paris: PUF 1979.

Gleichwohl – und es ist ein Kennzeichen des Romans Puértolas' findet man hier die drei Typen von Briefen, die sich im Laufe der Geschichte herauskristallisiert[18] haben, was z. B. an der Person des Absenders auszumachen ist.[19]

Denn dieser nimmt in der Tradition des Briefes mehrere Formen an. Lange fungierte als Absender weniger eine Person im heutigen Sinne des Wortes als der Vertreter einer Funktion oder eines Amts, der sich seiner sozialen Stellung bewusst sein muss (sodass drei Gattungen von Briefen auszumachen sind, je nachdem sie sich an eine höher–, gleich– oder tiefergestellte Person richtet). In diesem Fall orientiert hier ein Brief sehr stark nach den rhetorischen Regeln.

Darüber hinaus kann der Absender in seinem Brief etwas Anderes zum Ausdruck bringen, als das, was mit seiner Funktion einhergeht. In dieser auf Ciceros *Epistulae ad familiares* zurückzuführende Tradition spricht der Absender als Privatperson. Allerdings geht es um die Mitteilung nicht von tiefpersönlichen Gefühlen sondern von Gedanken eines denkenden Individuums. Gleichzeitig wird die Sphäre einer sozial zugeschriebenen Ethik konstituiert und bestätigt. Diese Briefgattung basiert auf den Regeln einer gepflegten Unterhaltung.

Erst in einer erst im späten 18. und im 19. Jahrhundert entstandenen Tradition wird der Brief zum Ort, in dem das Individuum intimste Gedanken und Gefühle mitteilt (wenngleich er zum Teil zum Theater einer Selbstinszenierung des Ichs wird). Insbesondere in dieser Form des Briefes wird die Ambivalenz des Briefes deutlich, der zugleich die Trennung qua Mitteilung negiert und die Trennung stets thematisiert und aktualisiert. Daher wird der Brief, der an sich eine Form des Dialogs mit dem Abwesenden darstellt, oftmals zum Monolog.

Auch wenn die Struktur aller Briefe an sich gleich ist (in Anlehnung an die Regel der traditionellen Rhetorik besteht ein Brief aus der Einleitung, dem Korpus und dem Schlusswort – *exordium, narratio* und *conclusio*) und bei allen besteht das Gebot, nicht uferlos zu schrieben.[20] Der Stil variiert je nach Form: Der offizielle Brief soll den sozialen und hierarchischen Stand des Empfängers stärker berücksichtigen und in seiner Ernsthaftigkeit und Struktur an eine Rede erinnern. In einem Brief an Vertraute hingegen führt Bewusstseins einer Zugehörigkeit zu einer homogenen Gruppe zu mehr Lockerheit im Ton und lässt somit trotz eventueller Standesunterschiede Platz für Anekdoten, Witze, persönliche Geschichte usw. Hinsichtlich ihrer Funktion können beide Briefe referentiell d. h. informativ sein (der Brief an Vertraute kann aber auch der argumentativen Funktion dienen).[21]

Der Liebesbrief (in der Form eines Briefes zwischen zwei Liebenden) wird hingegen hauptsächlich durch seine expressive Funktion gekennzeichnet: Er soll vor allem der Ort sein, an dem Gefühle zum Ausdruck gebracht werden, damit die Liebe entsteht oder bestätigt wird, er basiert auf der Illusion einer Gegenwart der geliebten Person und nähert das Begehren.

Aus diesem Lehrervortrag kann folgendes Tafelbild entstehen:

---

18   Dies gründet eine „esthétique du discontinu" (Laurent Versini, a. a. O., S. 56), die zu einer Zeitverschiebung führt, die bereits in „Le courage d'un garde champêtre" thematisiert wurde. Daneben gibt es eine Linie des monophonen Briefromans, der aus den Briefen von einer einzelnen Person besteht.

       Vgl. zur historischen Entwicklung, vgl. Simonet-Tenant, Françoise, « Aperçu historique de l'écriture épistolaire : du social à l'intime », *Le français aujourd'hui*, 2004/4 (n° 147), S. 36–40.

19   Folgende Bemerkungen basieren auf Ferreyrolles, Gérard, „L'épistolaire, à la lettre". In: *Littératures classiques*, 2010/1 (N° 71), S. 5–27.

20   Selbstverständlich handelt es sich hier um eine stark vereinfachte, schülerorientierte Darstellung der den Stil der Brief bestimmenden Regeln (zu einer ausführlichen Darstellung, vgl. das Kapitel „Nature et statut de l'art épistolaire en France" in Bizer, Marc: *Les lettres romaines de Du Bellay : Les Regrets et la tradition épistolaire*. Montréal : Presses de l'Université de Montréal, 2001, S 17–59.

21   Vgl. dazu Julien Harang: *L'épistolaire*. Paris: Hatier 2002, S. 64–68.

Genre	Destinateur	Fonction	Ton	Modèle sous–jacent
La lettre officielle	Représentant d'une fonction	Référentielle	Neutre Respect des conventions	discours
La lettre « familière »	Membre d'un groupe bien défini	Référentielle Argumenta-tive	Confidence Sympathie	conversation cultivée (anecdote, plaisanterie, conseils « pri-vés…)
La lettre d'amour	Une personne aimante	Emotive	Intime	Le dialogue amoureux

Erarbeitung I

Damit die oben thematisierten Unterschiede für die SuS plastisch werden, sollen sie auf der Grundlage von drei Kapitel herausarbeiten, um welche Form es sich dabei handelt. Es wird zuerst absichtlich auf die *lettre d'amour* verzichtet, die Gegenstand einer speziellen Erarbeitung werden soll.

2 **Kapitel 8, 12 und 72**
Leseverstehen
Gruppenarbeit

Die SuS bilden drei Gruppen. Alle drei Gruppen lesen die drei Kapitel, bevor sie sich jeweils mit der Aufgabe befassen. Dies stellt einen zeitlichen Mehraufwand dar, dürfte jedoch sorgen, dass der Unterschied zwischen den verschienenen Arten von Briefen klarer wird.

Vous allez tous lire les chapitres 8, 12 et 72. Ensuite, chacun des groupes tentera de déterminer de quel genre de lettre il s'agit ici.

Lösungen

Lettre 1 (chap. 8) : lettre de l'officier de police à la procureure

- Lettre apparemment officielle
  - Utilisation du titre « Madame la procureur » et de « Madame »
  - Courte indication d'informations sur l'avancement de l'enquête (p. 78)

- Lettre essentiellement familière
  - Description de la campagne (p. 75)
  - Utilisation de métaphores : « d'interminables serpents morts… », p. 76
  - Suggestion de la supériorité des représentants de la justice citadine : « je l'ai réprimandé [le Chef Provincio » ; quelquefois il se comporte comme un enfant », p.76)
  - Insistance sur la plus grande sensibilité des citadins vis-à-vis des odeurs de la campagne, p. 78
  - Mise en avant de la culture littéraire : renvoi à *Des souris et des hommes* [1937] de John Steinbeck
  - Conseils pratiques donnés sur la meilleure manière de dormir

Lettre 2 (chap. 8) : lettre de la procureure à l'officier de police

- Lettre apparemment officielle
  - Utilisation du titre « Monsieur l'officier de police »
  - Information sur les causes de l'enquête et sur certains points obscurs (comme les sacs, p. 112 et sq.)
  - Renvoi au rapport hiérarchique : « vous serez mes yeux et mes oreilles », p. 108 ; « je vous offrirai un billet de train », p. 113 (suggérant les positions sociale et financière supérieures de la procureure).

- Lettre fortement « familière »
  - Mise en avant d'une complicité avec l'officier par la métaphore « yeux et oreilles » (p.108)
  - Manifestation explicite de sa sympathie pour l'officier de police : « vos références sont excellentes [...] guère de souci pour vous », p.109 ; « jeune et brillant policier » [citation rapportée], p110
  - Connivence évidente avec l'officier dans le jugement sur les campagnes : « je partage votre étonnement », p. 109 ; « la campagne vit à un autre rythme », p.111
  - Accepte et approuve le fait que l'officier fasse des plaisanteries : « j'ai bien ri à votre blague », p.111 (le niveau de langage du mot « blague » relève aussi de ce genre de lettres)
  - Renvoi à un souci commun de la culture (« compléter votre culture générale », p. 113 ; « je vous offrirai un billet », p.113
  - Ton et dessein de la conversation : « distraire votre soirée »

Lettre 3 (chap. 72) : lettre de l'officier de police à la procureure

- Lettre essentiellement officielle[22]
  - Utilisation du titre « Monsieur l'officier de police » dans l'adresse et « officier » à la fin (suggérant une certaine nervosité)
  - Concentration sur les informations de l'enquête
  - Style dépouillé
  - Question percutante à la fin de la lettre

Erarbeitung II

Nun dürfte bei den SuS der Unterschied klar geworden sein, so dass die erneute Lektüre des einen Briefes von Provincio an die Staatsanwältin vorgenommen werden kann (Kap. 50). Dieser Brief war bereits in der UE zu den „doutes d'un garde champêtre" gelesen worden. Nun kann er im Prisma der Briefgattung der Herausarbeitung des Komischen erneut gelesen werden. Ziel ist, dass die SuS verstehen, inwiefern der *garde champêtre* die Gattung der „lettre officielle" mit der der „lettre familière" missachtet (und dabei die Regel letzterer verletzt).

Kapitel 50
Leseverstehen
Plenum

Nous allons maintenant lire ensemble la lettre qu'écrit le garde champêtre à la procureure. Cette dernière est non seulement beaucoup plus élevée dans la hiérarchie, elle ne connaît pas personnellement ce rural qu'est le garde champêtre.

Au cours de la lecture, vous relèverez les éléments relevant de la lettre officielle et ceux relevant de la lettre « familière ».

---

[22] Il reste apparemment une trace de la lettre familière dans le « j'ignorais encore que vous élucideriez ce meurtre si éloquemment » (p. 340), dans lequel pointe peut–être une certaine forme d'ironie exprimant la supériorité de la procureure.

Lösungen

Lettre officielle	*Lettre « familière »*
Utilisation du titre	Evocation de l'effet que suscitait sur lui Martine quand elle était jeune
« rayez la mention inutile » (relevant des formulaires admnistratifs	Remarque sur l'association créée par M. Granier
Respect de la hiérarchie → hommage aux mérites de l'officier de police	Réflexion sur les soubresauts de la mémoire
Indication des éléments concernant l'enquête (p. ex. les sacs des Galeries Lafayette	Remarque sur la coquetterie des femmes

→ Mélange des deux genres = source de comique.

De plus, utilisation dans la lettre familière (*Brief an eine vertraute Person*), non du langage de la conversation cultivée, mais de la langue familière (*Umgangssprache*).

Erarbeitung III

Eine letzte Form des Briefes, der im Roman eine bedeutsame Rolle spielt, ist der Liebesbrief, der mehr als jede andere Briefform die Überwindung der physischen Distanz zwischen den Liebenden anstrebt. Zuerst soll folgendes Zitat von Françoise Simonet Tenant[23] eingeblendet werden und im Plenum nach den Elementen, die ein Liebesbrief beinhaltet gemeinsam gesucht werden:

Kapitel 38–40
Leseverstehen
Plenum / Partnerarbeit

Une spécialiste de la lettre d'amour a écrit cette phrase :

« La lettre d'amour établit entre deux partenaires séparés dans l'espace une interaction qui vise à la création, à la modification ou à la confirmation d'une relation affective ».

Ensemble, nous allons maintenant réfléchir aux éléments que comporte une lettre d'amour.

Erwartete Antworten:
- Caractéristiques physiques, psychiques
- Penser constamment à l'autre, expression de la douleur due à l'absence, de l'aspiration à revoir l'autre, du désir physique
- Création d'un monde à part
- Evocation des lieux de rencontre (passés / à venir)

Anschließend sollen die Hypothesen an drei (kurzen) Kapiteln des Romans überprüft werden.

Dans le roman de Puértolas, la lettre d'amour joue aussi un grand rôle. Vous allez maintenant lire trois lettres écrites par Félicien Nazarian et adressées à Martine Moinard quand ils avaient une liaison amoureuse. Ensuite vous indiquerez quels éléments parmi ceux mentionnés ci–dessus sont présents dans ces lettres.

---

[23]   a. a. O., S. 41.

Lösungen

Caractéristiques physiques, psychiques
- Penser constamment à l'autre « je ne pense qu'à une seule chose, toi » (p. 215)

Expression de la douleur due à l'absence
- « Nous sommes à la fois si près et si loin […] de te revoir » (p.217)

Expression du désir physique
- « J'ai envie que tu me prennes [être tienne] » (p. 215 sq.)
- « pour te sauter dessus » (p. 219)
- « Je te désire » (p. 218)

Création d'un monde à part
- Utilisation de surnoms (« Mon beau brun ténébreux » / « Ta belle blonde ténébreuse »[24])
- Renvoi à des motifs littéraires (romantisme, exotisme) se démarquant du réel

Evocation des lieux de rencontre (passés / à venir)
- Tronc de l'arbre dans le jardin (p.215)
- « Je t'attends où tu sais » (p. 216)
- « Je serai dans le couloir » (p. 217)
- Arbre (p. 218)

Zusätzlich kann die Lehrkraft anschliessend auf eins der grundlegenden Probleme des Liebesbriefes verweisen: Da die Gefahr einer einfachen Wiederholung droht, ist der Liebesbrief fast zu einer stetigen Überhöhung verurteilt, die zur Verwendung übertriebenen Metaphern und Hyperbeln führt (vgl. in den Briefen Martines den Vergleich zur Klagemauer, S. 215, oder das Versprechen einer ewigen Liebe S. 219 – wobei die Metrik selbst in „Je t'aime / Et te désire / Eternellement" die Ausdehnung der Liebe ins Unendliche zum Ausdruck bringt).

Transfer

Wenn der zeitliche Rahmen es ermöglicht, kann die Arbeit mit einem „générateur automatique de textes" empfohlen werden (vgl. z. B. der nicht gänzlich ernstzunehmende „générateur de déclarations d'amour" unter der Adresse http://bio.gen2box.com/amour/, um deutlich zu machen) wie der Liebesbrief zur reinen Rhetorik entarten kann.

5

Auf jeden Fall sollte die UE zum Brief bzw. Briefroman mit dem Verfassen von drei Briefen an eine von den SuS freizuwählende berühmte Person aus der Gegenwart oder der Vergangenheit enden.

Maintenant, vous allez choisir une personnalité (historique ou du monde actuel) avec laquelle vous aimeriez communiquer.
Une fois votre choix effectué, vous rédigerez les lettres de trois personnes souhaitant rencontrer cette personnalité :
- Un journaliste préparant un article sur elle
- Un admirateur désireux de faire sa connaissance
- Une personne amoureuse d'elle

Faites attention, en rédigeant ces lettres, de respecter le contenu et le ton des trois types de lettres étudiés auparavant :
- Lettre officielle
- Lettre « familière »
- Lettre d'amour

---

[24]   Le jeu sur les allitérations, qui reflètent la différence entre le masculin et le féminin, peut être ici mis en valeur par l'enseignant.

Lösungen

Réponses individuelles.

---

17. Le monde paysan

Hauptthema	Darstellung der Welt der Landwirte in der Literatur und im Film
Ziele	Sensibilisierung für die Janusköpfigkeit in der Darstellung des „monde paysan" im Film und in der Literatur
Dokumente	– Fiche 19 : Le monde paysan en littérature et au cinéma – Auszüge aus *Cinéastes en campagne* von Ronald Hubscher – Filmausschnitt aus *La vie moderne* von Raymond Depardon https://www.youtube.com/watch?v=sRhUvnG6sG0 55:14-1:02:38 – Auszug aus *Les Paysans* von Balzac – Auszug aus *Les Creux de maisons* von Ernest Perochon.
Zeitbedarf	5 Unterrichtsstunden

Erarbeitung I

Peut–être vous souvenez–vous de la séquence de film que nous avons regardée ensemble avant de travailler sur le roman. Vous rappelez–vous la manière dont étaient présentés les paysans dans cette séquence ?

Falls die SuS sich nicht erinnern, kann die Filmsequenz erneut gezeigt werden. Zu erwarten ist, dass die SuS die herabwürdigende Darstellung thematisieren.

1 **Textverstehen**
Hubscher: *Cinéastes en campagne*
Fiche 19/1
Partnerarbeit

Une telle représentation a été critiquée par les cinéphiles, comme nous allons le voir maintenant.

Vous allez maintenant lire à deux un texte écrit par Ronald Hubscher, un spécialiste du cinéma, et analyser la manière caricaturale dont, selon lui, le film présente les paysans.

Lösungen

Les paysans
- négligent leur apparence extérieure : « hirsute », « saleté des individus, non rasés, mal peignés, aux vêtements fatigués »
- vivent dans des conditions misérables : « une ferme aux bâtiments en mauvais état, avec au centre de la cour un tas de fumier », « dans une étable sombre à souhait où, séparé des bêtes par une simple cloison, gît sur une paillasse le grand–père »
- sont limités intellectuellement : « [ils] ne sont pas des lumières », « un français patoisant », « à l'élocution pesante », « idiot »
- sont crédules : ils croient « Diafoirus »
- sont mal éduqués : « éructe des injures »
- sont immoraux : « salacité »
- sont cupides : « V'la de l'héritage »

Erarbeitung II

Als Gegenpol zur karikierenden Schilderung des Landes in *l'Entour-loupe* von Pirès sollen die SuS eine der zahlreichen (und in ihrer Stoßrichtung sehr vielseitigen) positiven Darstellungen im Film mit-

2   Depardon: *La Vie moderne*
Fiche 19/2
Hör–/Hörsehverstehen

tels einer Sequenz aus *La Vie moderne* von Raymond Depardon, dem dritten Film einer epochemachenden und sehr empfehlenswerten Trilogie erarbeiten.

Il y a bien sûr au cinéma des représentations beaucoup plus positives de la vie paysanne, comme dans le film de Raymond Depardon, dont nous allons voir une séquence maintenant.

Travaillez maintenant sur la Fiche 19.

Lösungen

1: F (Le couple a trois garçons et trois filles) ;

2 : V ;

3 : F (Il ne voudrait pas travailler à l'usine) ;

4 : V ;

5 : V ;

6 : F (Il a des amis de son âge) ;

7 : on ne sait pas ;

8 : V ;

9 : il y travaille depuis quatre ans ;

10 : V ;

11 : F (il ne le veut pas) ;

12 : F : Il a été à l'école jusqu'à seize ans mais ne voulait pas continuer ses études.

Erarbeitung III

Im Anschluss sollen die SuS gefragt werden, wie sie die Filmsequenz wahrgenommen haben. Es ist anzunehmen, dass sie die
Filmsequenz als langweilig und Daniel als einigermaßen ungepflegt
und unbeholfen empfunden haben. Mittels eines zweiten, allerdings nicht einfachen aber für die Sekundarstufe II angemessen Textes von Ronald Hubscher sollen die SuS erarbeiten, inwiefern diese von ihnen empfundenen Mängel den Ausdruck des positiven Lichtes darstellen, das
Raymond Depardon letzten Endes auf die Bewohner des Landes wirft.

3   Hubscher: *Cinéastes en campagne*
Fiche 19
Plenum / Partnerarbeit

Angesichts des anspruchsvollen Charakters des Textes ist dessen Erarbeitung im Plenum zu empfehlen.

Sowohl aus Zeit– als auch aus didaktischen Gründen – das Ziel der Stunde besteht darin, die SuS für
die Janusköpfigkeit der Darstellung der *paysans* – wird hier nicht auf die kritischen Aspekte der Analyse
Hubschers eingegangen (Depardon lasse die Generationskonflikte unerwähnt, er thematisiere die be-
sonderen Formen ruraler Geselligkeit nicht usw.).

Vous n'avez pas vraiment apprécié cette séquence, que vous trouvez trop lente. Daniel ne vous a pas
paru très sympathique etc. Nous allons voir maintenant pourquoi tous ces aspects qui vous semblent
négatifs sont finalement des éléments fondamentaux de l'image positive du monde des paysans que
présente Depardon.

Lösungen

- Gros plan sur les visages → donner une individualité et une personnalité aux personnes inter-
  viewées
- Refus du pittoresque et sobriété de l'image → montrer le monde paysan dans sa « vérité » et
  son austérité
- Acceptation du mode de vie propre aux campagnes (habillement, langage) → refus de le juger
  d'après les critères de la vie urbaine
- Ouverture au futur et optimisme → le monde rural n'est pas figé dans le passé et condamné à
  disparaître.
- Effacement de la personne qui interviewe → laisser parler les paysans à leur rythme
- Suggestion de la temporalité propre au monde paysan → refus de la rationalité économique et
  temporelle caractéristique du monde urbain.
- Refus de projeter sur les paysans les clichés qu'ont sur eux les gens de la ville ((la position de
  la caméra, dans la première partie de la séquence, montre bien que Depardon leur parle d'égal
  à égal. Et dans la seconde, grâce à la contre–plongée qu'impose la place de Daniel, assis sur
  son tracteur, son rôle central est affirmé)

Transfer 1

Dass dieses doppelte Bild des Landlebens auch in der Literatur tra-
diert wird, sollen die SuS nunmehr mittels eines Vergleichs von zwei
literarischen Texten – aus Balzacs *Paysans* einerseits und Péro-
chons *Les Creux de maison* anderseits – erarbeiten.

4   Textverstehen
Hubscher: *Cinéastes en campagne*
Fiche 19/1
Gruppenarbeit

Da beide Texte sprachlich anspruchsvoll sind (insbesondere der beschreibende Text von Balzac gehört
zu einer Gattung, die bei der Bearbeitung literarischer Texte im Unterricht nicht allzu oft vorkommt), ist
eine Gruppenbearbeitung zu empfehlen.

La double image du monde paysan que nous avons découverte dans les séquences des deux films renvoie à une longue tradition littéraire que nous allons maintenant aborder. Formez, s'il vous plaît, deux groupes. L'un lira un texte d'Honoré de Balzac, l'un des grands romanciers réalistes du XIXe siècle, et l'autre, un texte d'Ernest Perochon, un auteur très connu dans le premier tiers du XXe siècle et malheureusement un peu oublié aujourd'hui.

Lösungen

Perochon

- Droiture morale des paysans
- Dignité
- Refus d'être malhonnête en dépit de conditions de vie difficiles
- Souci de rester fidèle à la tradition familiale de la moralité
- Désir de donner une bonne éducation morale à leurs enfants et de leur inculquer l'honnêteté
- Profond amour pour les enfants

Vermutlich werden die SuS die körperliche Züchtigung als Zeichen der Härte bzw. der mangelnden Liebe Séverins seinen Kindern gegenüber. Diese Form der Strafe darf natürlich nicht relativiert, sondern muss kontextualisiert werden, damit klar wird, dass physische Härte bis in die 1960er Jahren als Bestandteil des pädagogischen Prozesses erachtet wurde.[25]

→ Image **positive** de la paysannerie

Balzac

- Force physique et résistance
- Apparence peu soignée : habits grossiers et vieux ; sabots cassés → impression de laideur
- Tendance à l'ivrognerie
- Paresse
- Ruse
- N'est humain que par la forme, et encore
- Est un sauvage
- Frontières de l'humanité floues
- Ressemble à un cochon
- Vitrification des yeux

Wichtig ist, den SuS klarzumachen, dass Balzac hier mit Versatzstücken aus der Anthropologie des 18. und 19. Jahrhunderts arbeitet, die erstens mit dem Gegensatz von Natur und Kultur arbeitet (die z. B. physische Kraft und Naturzustand verbindet) und zweitens eine damals wissenschaftlich fundierte Hierarchie innerhalb der Menschheit postuliert.

→ Image **négative** de la paysannerie

---

[25] Voir Jean–Claude Caron : *A l'école de la violence. Châtiments et sévices dans l'institution scolaire au XIXe siècle* ; Paris : Aubier, 1999.

Transfer 2

Auch heute ist das Bild der *paysans* nicht eintönig. Vielmehr lässt
sich eine Diskrepanz zwischen der Wahrnehmung der dominanten urbanen
Bevölkerung und der genuin auf dem Land lebenden Gruppen feststellen, die
anhand der Bearbeitung eines Interviews von Jean Viard, einem führenden Soziologen, vermittelt werden.

Même de nos jours, la perception du monde paysan n'est pas facile, comme nous allons le voir dans
une interview donnée à France Info par Jean Viard, un sociologue spécialiste des questions d'agriculture. Lisez maintenant le texte sur la Fiche 19/5 et répondez individuellement aux questions posées.

Lösungen

Relevez les mesures prises par les exploitants agricoles pour se moderniser après et depuis les années
1990.

Après 1945

- électrifier les fermes et installer l'eau courante
- mécaniser la production
- s'organiser professionnellement
- agrandir la taille des exploitations

Depuis les années 1990

- Changer les systèmes de culture et d'arrosage
- Renoncer en partie aux pesticides
- S'adapter au numérique

Pourquoi le grand public ne perçoit–il pas ces changements ?

- Coûts importants de la révolution du numérique qui s'opère lentement dans les campagnes
- Ecart entre la demande urbaine d'un changement (qui est parfois utopique) et la réalisation dans le monde rural
- La perception du monde rural est monolithique → les différences sont gommées
- Les préoccupations du monde rural ne sont perçues comme primordiale par les hommes politiques.

Comment le monde paysan perçoit–il la situation ?

- Sentiment que la contribution des paysans à la sécurité alimentaire et donc au prolongement de l'espérance de vie n'est pas honorée
- Impression que les exigences des citadins ne prennent pas en compte les réalités pratiques
- Sentiment que la classe politique ne s'intéresse pas à lui.
- Sentiment que les citadins envahissent le monde rural et qu'ils veulent lui imposer leurs normes.
- Traumatisme dû à la disparition de nombreuses fermes

Liste der fiches de travail

Lorsque les fiches de travail sont utilisées dans plusieurs unités, il est noté entre parenthèses sur les corrigés l'unité dont sont tirées les différentes indications.

Villageois et citadins dans les années 60

La vie à la campagne

1. La corvée d'eau (Muriele Rudelle : *Le village autrefois*. Paris Hoëbeke 2005, p. 75)

2. Deux fillettes auvergnates dans les années 50 (Gérard Larpent / Jean Anglade : *Auvergne 1900–1965*, Paris 2005)

3 Les travaux dans les champs

4 La cuisine d'une ferme

La vie à la ville

5. Publicité pour une cuisine en formica 1959
(Collection privée)

2. La vie d'une famille moderne (Publicité de 1985 in Pincas, Stéphane / Loiseau Marc : *Histoire de la publicité*, Cologne : Taschen 2008,p.123)

3. Publicité

(Collection privée)

4. Le travail de bureau

Procès–verbal

Procès–verbal

Dossier N°:

Autorité compétente :

_____

Les faits :

_____

Lieu et date :

_____

Les témoins
auditionnés :

_____

_____

_____

Les suspects :

_____

_____

Déroulement des
faits et de l'enquête

_____

_____

_____

_____

_____

_____

_____

_____

Procès–verbal (corrigé)

Procès–verbal

Dossier N°:

Autorité compétente :

Tribunal de grande instance de M.

Madame la procureure de la République

Les faits :

horrible meurtre. Joël, la victime, a été découpée et emballée dans huit grands sacs

Lieu et date :

P. Découverte lundi 17 juillet 1961 (1)

Les témoins

auditionnés :

Le médecin légiste (2)

Martine (5)

Les suspects :

Félicien Nazarian (5)

Fiche 3 Fiche signalétique de la victime

1. Après la lecture des deux chapitres, complétez les informations que vous aurez trouvées sur la victime.

2. Au fil de votre lecture, complétez la fiche signalétique.

Tribunal de grande instance de M.

Mme la Procureure de la République

Nom :

Prénom :

Age :

Date de naissance :

Nom des parents

Nom du conjoint

Parcours scolaire /
Profession :

Caractéristiques
physiques :

Autres caractéristiques :

Fiche signalétique de la victime (corrigé)

1. Après la lecture des deux chapitres, complétez les informations que vous aurez trouvées sur la victime.

2. Au fil de votre lecture, complétez la fiche signalétique.

Tribunal de grande instance de M.

Mme la Procureur de la République

Nom :   SNP (1)

Prénom :   Joël (1)

Age :

Date de naissance :   18 mai 1945 (1)

Nom des parents

Nom du conjoint

Parcours scolaire /   N'a jamais été à l'école (3)

Profession :

Caractéristiques   petit, brun, « ni trop gros, ni trop maigre », grandes oreilles (1)
physiques :   cheveux longs » « à la sauvageon » (2)

Autres caractéristiques :
parents enterrés quelque part (1)
adopté dès sa naissance par Félicien Nazarian (3)
Vivait très librement (3), dormait parfois dehors (3)
Paresseux (3)
Fuguait parfois (4)

Fiche 4 Fiche de renseignement sur Provincio

1. Après la lecture des deux chapitres, complétez les informations que vous aurez trouvées sur Provincio.

2. Au fil de votre lecture, complétez la fiche de renseignements.

Police des forêts
Fiche de renseignements

Nom : _____

Prénom : _____

Age : _____

Date de naissance : _____

Nom des parents _____

_____

Nom du conjoint _____

Parcours scolaire /
Profession : _____

_____

Caractéristiques
physiques : _____

Autres caractéristiques : _____

_____

_____

_____

Fiche de renseignement (corrigé)

1. Après la lecture des deux chapitres, complétez les informations que vous aurez trouvées sur Provincio.

2. Au fil de votre lecture, complétez la fiche de renseignements.

Police des forêts

Fiche de renseignements

Nom :   Provincio

Prénom :   Jean–Charles

Age :

Date de naissance :

Nom des parents

Nom du conjoint

Parcours scolaire /   Garde champêtre chef
Profession :

Caractéristiques   brun, grande moustache, « gendarme de Guignol »
physiques :   chaussures de montagne, pantalon et vareuse kaki, épaulettes et plaques
                                   dorée avec la mention « La Loi »

Autres caractéristiques :   « accent du terroir », peut–être pas très cultivé
                                   (phrases grammaticalement pas toujours correctes
                                   langage familier), ignorant de certains changements, prend des
                                   libertés avec le code de procédure pénale

Fiche 5 Un policier exemplaire

Après avoir relu les deux chapitres, notez toutes les informations que vous trouverez sur l'officier de police.

_____

_____

_____

_____

_____

_____

_____

_____

_____

_____

_____

_____

_____

_____

_____

_____

_____

Un policier exemplaire (corrigé)

Après avoir relu les deux chapitres, notez toutes les informations que vous trouverez sur l'officier de police.

1

« inspecteur de police » en mission dans un village pour enquêter sur un meurtre horrible

Porte un costume / un pistolet automatique

Soucieux d'enquêter scientifiquement

« Graphomane »

2

Partisan (et expert) de la police scientifique
Sens logique très développé
Persuadé de ses compétences

4

Rapidité de la pensée logique
Bon connaisseur des lois
Roué aux techniques de l'interrogatoire
A la pointe de la technique

L'audition du médecin légiste

1. Connaissez–vous ces personnages de séries télévisées ?

2. Quelles qualités doivent avoir, selon vous, ces personnages ?

3. Lisez les chapitre 4 et 5 et indiquez si les affirmations données dans le tableau sont vraies ou fausses. Justifiez votre choix

	V / F	Justifiez
Le médecin–légiste est un vrai spécialiste.		
Le corps de Joël a été découverte sur le parking de l'usine de confiture.		
Le médecin–légiste est distrait.		
On a retrouvé le corps de Joël dans des sacs d'un magasin d'électroménager.		
Provincio et l'officier de police savent que ce dernier est le meilleur enquêteur.		
Joël avait les cheveux courts.		
Joël a été tué avant minuit.		
La victime a été trouvée sur le lieu du crime.		
La victime a été endormie avant d'être tuée.		
L'officier de police connaît bien les méthodes scientifiques d'investigation.		
L'officier de police a un grand sens logique.		

L'audition du médecin légiste (corrigé)

1. Connaissez–vous ces personnages de séries télévisées ?
Dr. Jordan Cavanaugh (*Crossing Jordan*) / Emma Kugel (*Bones – Dead End*) / Prof. Boerne (*Tatort*)

Sinn für Logik
Wissenschaftliche Herangehensweise
Selbstbewusstsein, ja sogar z. T. Arroganz

3.

	V / F	Justifiez
Le médecin–légiste est un vrai spécialiste.	F	« à °P., le vétérinaire fait œuvre également de médecin généraliste [...] légiste » p.45
Le corps de Joël a été découverte sur le parking de l'usine de confiture.	V	« dans une cuve de cuisson » p.40
Le médecin–légiste est distrait.	V	« Où ai–je bien pu les mettre » p.38 « je ne sais plus où je l'ai mise » p.39
On a retrouvé le corps de Joël dans des sacs d'un magasin d'électroménager.	F	« Huit sacs en papier marron siglés Galeries Lafayette, des sacs de grande taille » p.37
Provincio et l'officier de police savent que ce dernier est le meilleur enquêteur.	V	« Je comprends maintenant pourquoi [...] arrivé à cette conclusion », p.43 « « Merci pour votre inestimable expertise, chef ! [...] ironie », p.39
Joël avait les cheveux courts.	F	« cheveux longs » « à la sauvageon », p. 39
Joël a été tué avant minuit.	V	« le décès remonte aux environs de 23 h 30 », p.41 sq.
La victime a été trouvée sur le lieu du crime.	F	« Joël a été assassiné dans le village ou tout près », p.43
La victime a été endormie avant d'être tuée.	V	« J'ai retrouvé dans son estomac des traces de Torrox », p.42
L'officier de police connaît bien les méthodes scientifiques d'investigation.	V	« saviez–vous que ces gants [en caoutchouc ont été inventés par amour », p. 38 J'imagine que vous n'avez pas cherché des empreintes digitales », p.39 « pourrais–je voir les photos », p.41
L'officier de police a un grand sens logique	V	« Eh bien, cela signifie que Joël a été assassiné dans le village ou tout près », p.43

Les notes de l'officier de police

1. Très troublé par le caractère gravissime des événements, l'officier de police a fait huit fautes dans les textes qu'il dicte sur son Nagra III pour préparer sa lettre à la procureur. Lisez les trois textes ci–dessous et soulignez les différences.

Version A

Avec la 2CV du chef Provincio, je me suis rendu chez le tuteur légal de Joël, un dénommé Félicien Nazarian, un homme apparemment un peu porté sur la boisson qui habite dans une ferme bien entretenue avec une espèce de piscine et d'enclos pour les bêtes.

Monsieur Félicien Nazarian a soixante–quinze ans et, pour un homme de la campagne, il apporte un souci étonnant à son apparence extérieure (dans des campagnes où on porte encore des sabots !) – même si son costume est trop petit pour lui. Il est exploitant agricole et fournit en fruits l'usine de confiture.

M. Nazarian a adopté Joël dès sa naissance, le 8 mai 1945 (même si les procédures d'adoption et de tutelle n'ont pas été respectées comme on le ferait en ville), car lui et sa femme Mireille – qui est morte il y a dix ans – n'avaient pas pu avoir d'enfants. Les parents de Joël, Gérard et Lydie, qui avaient durement travaillé toute leur existence étaient morts d'épuisement. Joël, lui, n'a jamais aimé le travail comme ses parents. Il était même très paresseux et, semble–t–il, pas très intelligent, car Félicien ne l'a même pas envoyé à l'école !

M. Nazarian aimait Joël à sa façon : il partageait avec lui ses repas – rien que boîtes de conserve ! –, lui parlait et le laissait vivre comme il voulait : Joël avait le droit de passer ses journées à se balader, d'aller se baigner dans la rivière, et même de dormir dehors.

M. Nazarian a vu Joël la dernière fois lundi à 21 heures avant d'aller se coucher. Joël qui était encore dehors, a finalement a renoncé à passer la nuit dehors à cause d'un orage qui a éclaté et est probablement rentré plus tard. M. Nazarian dort très profondément et n'a rien remarqué de ce qui a pu se passer vers 23 h 30.

La mort de Joël l'a profondément affecté et il est à craindre qu'il ne se fasse justice lui–même s'il trouve le coupable avant nous.

Version B

Avec la 4CV du chef Provincio, je me suis rendu chez le tuteur légal de Joël, un dénommé Félicien Nazarian, un homme apparemment un peu porté sur la boisson qui habite dans une ferme bien entretenue avec une espèce de piscine et d'enclos pour les bêtes.

Monsieur Félicien Nazarian a soixante–douze ans et, pour un homme de la campagne, il apporte un souci étonnant à son apparence extérieure (dans des campagnes où on porte encore des sabots !) – même si son costume est trop grand pour lui. Il est exploitant agricole et fournit en fruits l'usine de confiture.

M. Nazarian a adopté Joël dès sa naissance, le 18 mai 1945 (même si les procédures d'adoption et de tutelle n'ont pas été respectées comme on le ferait en ville), car lui et sa femme Mireille – qui est morte il y a dix ans – n'avaient pas pu avoir d'enfants. Les parents de Joël, Martin et Lydie, qui avaient durement travaillé toute leur existence étaient morts d'épuisement. Joël, lui, n'a jamais aimé le travail comme ses parents. Il était même très paresseux et, semble–t–il, pas très intelligent, car Félicien ne l'a même pas envoyé à l'école !

M. Nazarian aimait Joël à sa façon : il partageait avec lui ses repas – rien que des produits biologiques !
–, lui parlait et le laissait vivre comme il voulait : Joël avait le droit de passer ses journées à se balader,
d'aller se baigner dans la rivière, et même de dormir dehors.

M. Nazarian a vu Joël la dernière fois dimanche à 22 heures avant d'aller se coucher. Joël qui était
encore dehors, a finalement renoncé à passer la nuit dehors à cause d'un orage qui a éclaté et est
probablement rentré plus tard. M. Nazarian dort très profondément et n'a rien remarqué de ce qui a pu
se passer vers 23 h 30.

La mort de Joël l'a profondément affecté et il est à craindre qu'il ne se fasse justice lui–même s'il trouve
le coupable avant nous.

Version C

Avec la 4CV du chef Provincio, je me suis rendu chez le tuteur légal de Joël, un dénommé Félicien
Nazarian, un homme qui a arrêté de boire après des années d'alcoolisme. Il habite dans une vieille
ferme à l'abandon avec une espèce de piscine et d'enclos pour les bêtes.

Monsieur Félicien Nazarian a soixante–douze ans et, comme tous les paysans, il porte des vêtements
grossiers et usés, ce qui n'est pas étonnant dans des campagnes où on porte encore des sabots !) –
même si son costume est trop grand pour lui. Après des années de travail comme exploitant agricole il
a pris sa retraite il y a deux ans.

M. Nazarian a adopté Joël dès sa naissance, le 18 mai 1945 (même si les procédures d'adoption et de
tutelle n'ont pas été respectées comme on le ferait en ville), car lui et sa femme Mireille – qui est morte
il y a dix ans – n'avaient pas pu avoir d'enfants. Les parents de Joël, Martin et Lydie, sont morts pendant
la guerre. Joël, lui, n'a jamais aimé le travail comme ses parents. Il était même très paresseux et,
semble–t–il, pas très intelligent, car Félicien ne l'a même pas envoyé à l'école !

M. Nazarian ne s'est apparemment pas vraiment occupé de Joël : il partageait avec lui ses repas – rien
que des produits biologiques ! –, lui parlait et le laissait vivre comme il voulait : Joël avait le droit de
passer ses journées à se balader, d'aller se baigner dans la rivière, et même de dormir dehors.

M. Nazarian a vu Joël la dernière fois dimanche à 22 heures avant d'aller se coucher. Joël était déjà
rentré car un orage menaçait. M. Nazarian dort très profondément et n'a rien remarqué de ce qui a pu
se passer vers 23 h 30.

La mort de Joël l'a profondément affecté et il fait confiance à la police pour trouver le coupable.

2. Lisez maintenant le sixième chapitre du roman et et indiquez laquelle des versions est la bonne.

Fiche signalétique de Félicien Nazarian

1. Après la lecture du sixième chapitre, complétez les informations que vous avez trouvées sur Félicien Nazarian.

Tribunal de grande instance de M.

Mme la Procureure de la République

Nom : _____

Prénom : _____

Age : _____

Date de naissance : _____

Nom des parents

_____

_____

Nom du conjoint _____

Parcours scolaire /
Profession : _____

_____

Caractéristiques
physiques : _____

_____

Autres caractéristiques : _____

_____

_____

Fiche signalétique de Félicien Nazarian (corrigé)

Tribunal de grande instance de M.

Mme la Procureure de la République

Nom :	Nazarian
Prénom :	Félicien
Age :	72 ans
Date de naissance :	
Nom des parents	
Nom du conjoint	Mireille (décédée en 1951) (3)
Parcours scolaire / Profession :	Propriétaire terrien, exploitant agricole, fournisseur de l'usine de confitures (3)
Caractéristiques physiques :	Apparence fragile (3)

Autres caractéristiques :

Porté sur la bouteille (3)
A adopté Joël dès sa naissance (dans des conditions presque illégales) (3)
Tuteur légal (3)
Aimait Joël à qui il accordait beaucoup de liberté (3)

Félicien maltraitait Joël (coups, fixation) (4)
Il a eu une liaison extraconjugale avec une femme blonde entre le 6 janvier 1936 et le 17 mai 1951 (6)

Fiche signalétique de Martine Moinard

1. Après la lecture du septième chapitre, complétez les informations que vous avez trouvées sur Martine Moinard.

Tribunal de grande instance de M.

Mme la Procureure de la République

Nom :

_____

Prénom :

_____

Age :

_____

Date de naissance :

_____

Nom des parents

_____

_____

Nom du conjoint

_____

Parcours scolaire /
Profession :

_____

_____

Caractéristiques
physiques :

_____

_____

Autres caractéristiques :

_____

_____

_____

Fiche signalétique de Martine Moinard (corrigé)

Tribunal de grande instance de M.

Mme la Procureure de la République

Nom :   Moinard

Prénom :   Martine

Age :   Environ 60 ans (5)

Date de naissance :

Nom des parents

Nom du conjoint

Parcours scolaire /

Profession :

Caractéristiques   Cheveux longs et sales (5)

physiques :

Autres caractéristiques :

Nerveuse
Grande fumeuse (5)
Etait il y a trente ans la plus belle fille du village et faisait tourner des têtes

A longtemps porté une robe de chambre à fleurs et maintenant une robe noire (5)

A beaucoup d'animaux : sa maison est une vraie ménagerie (5)

Aime les animaux (5)

Passe pour folle (5)
Martine Moinard a certainement eu une liaison avec Félicien Nazarian Sa relation avec Félicien a duré entre 1936 et 1952 (9)
Elle a été profondément blessée quand Félicien l'a quittée après la mort de sa femme (10)

Les monologues intérieurs

1. Vous trouvez ici des éléments des monologues intérieurs des trois personnages intervenant dans ce chapitre (ces monologues suivent le fil du texte). Après avoir relu la deuxième partie du chapitre, attribuez ces éléments au personnage correspondant et justifiez votre choix.

H) C'est quand même bizarre, cette robe noire...

I) Mais, bon sang, tient–il absolument à parler à cette folle ?

J) Ah, enfin quelqu'un à qui je peux dire la vérité !

K) Mon Dieu, la vie ici est caractérisée par une violence que je n'imaginais pas !

L) Comme c'est triste ! Je ne pourrai plus jamais ni lui parler, ni lui donner de ces fruits qu'il aimait tant !

M) Enfin quelqu'un qui me donne des informations intéressantes.

N) Mais c'est pas possible ! Ce monsieur de la ville n'arrêtera donc jamais arrêter de me faire la leçon, alors qu'il ne comprend rien de notre vie ?

L'interrogatoire de Félicien Nazarian

Vous allez maintenant entendre un dialogue entre l'officier de police et Félicien. Après l'écoute, cochez la bonne réponse ou complétez l'affirmation sur la fiche de travail.

1) L'officier de police a réveillé Félicien à

    a)   5 heures
    b)   6 heures
    c)   8 heures

2) Félicien dit

    a)   qu'il frappait Joël tous les jours
    b)   qu'il frappait parfois Joël
    c)   qu'il ne frappait jamais Joël

3) Félicien dit qu'il attachait Joël

    a)   parce que Joël s'enfuyait régulièrement
    b)   pour que Joël ne vole pas les légumes du jardin
    c)   parce qu'il n'avait pas le temps de chercher Joël quand celui–ci partait se promener
    d)   par sadisme

4) L'officier de police dit que la procureur n'ouvrira pas d'enquête sur les mauvais traitements infligés à Joël par Félicien si _____.

5) L'officier de police peut perquisitionner chez Félicien

    a)   s'il a un mandat de perquisition
    b)   sans mandat de perquisition
    c)   en l'absence de Félicien
    d)   en présence de Félicien

6) Qu'est–ce que l'officier de police recherche chez Félicien ?

    a)   _____
    b)   _____
    c)   _____

7) Félicien reconnaît les sacs des Galeries Lafayette

    a)   oui
    b)   non
    c)   on ne sait pas

Les sentiments de Félicien pendant l'interrogatoire

1. Au cours de la scène de l'interrogatoire, les sentiments de Félicien varient. Parmi les schémas de l'évolution proposés ci–dessous, un seul correspond au texte. Trouvez lequel et justifiez votre choix.

A)

Court moment de colère, teintée de sarcasme

Désespoir

Effondrement, effarement

Etonnement

Grand étonnement

Grande colère

Incompréhension

Incrédulité

Résignation empreinte de colère

Résignation, fatalisme

Révolte

Velléité d'opposition

B)

Révolte

Résignation, fatalisme

Grande colère

Incompréhension

Incrédulité

Effondrement, effarement

Etonnement

Désespoir

Court moment de colère teintée de sarcasme

Grand étonnement

Velléité d'opposition

Résignation empreinte de colère

C)

Grand étonnement

Résignation, fatalisme

Court moment de colère, teintée de sarcasme

Incompréhension

Révolte

Etonnement

Effondrement, effarement

Velléité d'opposition

Résignation empreinte de colère

Incrédulité

Désespoir

Grande colère

L'organisation du procès

1) La disposition spatiale

Président

du tribunal

_____

avocat   greffier

général

_____   _____

Barre des   avocat à la   accusée /

témoins   défense   prévenue

_____   _____   _____

Presse

2) Le rôle des différents acteurs et le déroulement du procès

Le **greffier** prie toutes les personnes présentes de se lever quand le Président du tribunal entre

Le **Président** du tribunal

- demande à la prévenue / l'accusée de décliner son identité
- lit le texte d'accusation
- interroge la prévenue / l'accusée sur les faits
- demande aux témoins de se présenter à la barre des témoins, où il leur demande de prêter serment : « Vous prêtez serment de dire toute la vérité, rien que la vérité, levez la main droite et dites: je le jure »

L'avocat général (*Staatsanwalt*) et **l'avocat de la défense** peuvent interroger les témoins

L'avocat général tient sa plaidoirie

L'avocat de la défense tient sa plaidoire

Le **Président**

- demande à l'accusée si elle souhaite ajouter quelque chose
- déclare : « l'audience est suspendue. Le tribunal se retire pour délibérer ».

Après une interruption, le Président revient dans la salle d'audience. Toutes les personnes présentes se lèvent et restent debout pendant que le **Président** rend son verdict :

- « Au nom de la république, je déclare l'accusée coupable ≠ non coupable.... »
- « Elle est condamnée à ≠ elle est élargie / relaxée

Pendant toute la durée de l'audience, le **greffier** et les **journalistes** présents dans le public prennent des notes sur le déroulement du procès.

3) Le Code pénal de 1810

Art. 295 : « L'homicide commis volontairement est qualifié meurtre ».

Art. 296: « Tout meurtre commis avec préméditation ou guet–apens, est qualifié assassinat ».

Art. 302 « Tout coupable d'assassinat, de parricide et d'empoisonnement, sera puni de mort ».

Art. 62 : « sera puni d'un emprisonnement d'un mois à trois ans et d'une amende de 360 F à 20.000 F ou de l'une de ces deux peines seulement, celui qui, ayant connaissance d'un crime déjà tenté ou consommé, n'aura pas, alors qu'il était encore possible d'en prévenir ou limiter les effets ou qu'on pouvait penser que les coupables ou l'un d'eux commettraient de nouveaux crimes qu'une dénonciation pourrait prévenir, averti aussitôt les autorités administratives ou judiciaires ».

Art. 64 : « Il n'y a ni crime ni délit, lorsque le prévenu était en état de démence au temps de l'action, ou lorsqu'il a été contraint par une force à laquelle il n'a pu résister ».

3) Un discours de rhétorique judiciaire

Exorde : Ouverture du discours par un court exposé de la question ou du sujet que traitera l'orateur

Narration : Exposé des faits dans un souci apparent d'objectivité

Confirmation : Ensemble des preuves

Réfutation : Rejet des arguments contraires

Péroraison : Fin du discours. La péroraison peut prendre plusieurs formes

Amplification : pour revenir sur la gravité des faits

Passion : faire naître la passion ou l'indignation

Récapitulation : résumé de l'argumentation

D'après Georges Moliné : *Dictionnaire de rhétorique*, Paris: Livre de poche 1992

Fiche 14 Les règles de rédaction d'un article de journal

(il s'agit ici d'un article informatif)

Comment écrire un article de presse ?

La structure

L'article de presse comporte :

Un surtitre. Phrase publiée au–dessus de l'article qui donne le ton général de l'article.

Un *titre*. Destiné à attirer l'attention du lecteur et à lui donner envie de lire le reste, le titre utilise généralement la nominalisation.

Un « *chapeau* » qui résume l'essentiel de l'information

Le *corps* de l'article

Une attaque qui expose l'évènement selon les six questions de référence caractéristique d'un article qui ? quoi ? où ? quand ? comment ? pourquoi ?

Le développement qui peut être chronologique ou explicatif (avec éventuellement des intertitres qui ont pour fonction de renouveler l'attention du lecteur et de lui donner envie de poursuivre la lecture)

La *chute*, phrase frappante pour terminer l'article

Caractéristiques stylistiques

Evitez les phrases trop longues.

Ne donner qu'une information par phrase.

Rechercher la précision lexicale.

Employer de préférence le présent.

La peine de mort en France

Pourquoi la peine de mort a–t–elle été abolie en France ?

368 voix pour, 113 voix contre : le 8 septembre 1981, il y a 38 ans, la peine de mort était abolie en France, et cette décision a marqué les esprits. […]

En 1938, la France, patrie des droits de l'homme, était à l'époque le seul pays d'Europe occidentale à prati-
5   quer la peine de mort. Certes elle n'était pas abolie partout à commencer par la Belgique où il faudra attendre
1996 pour qu'elle soit rayée du code pénal. Mais depuis 1918, elle était automatiquement commuée en dé-
tention à perpétuité, au contraire de la France où la guillotine fonctionnait toujours […].

Pourquoi la France a–t–elle aboli la peine de mort ?

A cause du combat d'un homme : Robert Badinter.

10 Une dizaine d'années plus tôt il avait défendu Roger Bontemps qui fut condamné à mort alors qu'il n'avait
pas tué. La cour d'assises l'avait reconnu mais l'envoya tout de même à la guillotine en même temps que
Claude Buffet, qui avait égorgé des otages quand la police avait donné l'assaut. L'horreur des faits et l'émo-
tion populaire déclenchée par cette sinistre affaire vaudra donc à Bontemps, seulement complice, le même
châtiment suprême. Cette affaire va hanter Robert Badinter qui va faire de l'abolition de la peine de mort le
15 combat de sa vie. Il défendra six criminels dont le célèbre Patrick Henry et leur évitera à chaque fois la mort.
Mais à la même époque, dans les années 70, 4 condamnés à mort seront encore exécutés en France dont
Christian Ranucci, c'est la fameuse affaire du pull–over rouge où il est permis de douter de la culpabilité de
l'assassin.

Une promesse de campagne

20 Nullement. D'ailleurs, la veille de l'abolition par l'assemblée nationale, le 17 septembre 1981, on découvre
dans un sondage publié dans *Le Figaro* que 62% des Français sont favorables à la peine de mort. C'est donc
contre l'opinion publique que le vote aura lieu à une écrasante majorité. Pourquoi ? Parce que François Mit-
terrand en avait fait une promesse de campagne et qu'il avait nommé Robert Badinter comme garde des
sceaux. La gauche régnait en maître au parlement français, ce qui a fait écrire à Badinter que l'immense
25 différence entre un débat parlementaire sous la Veme république et un débat judiciaire, c'est qu'à l'assemblée
le résultat est acquis d'avance... Notons que plusieurs députés de droite rejoindront la gauche pour voter
l'abolition, dont Jacques Chirac et un certain François Fillon, tout jeune député à l'époque.

La peine de mort en Europe et dans le monde

Pour les 47 pays qui ont ratifié la convention européenne des droits de l'homme non, puisque cette convention
30 exclut explicitement la peine de mort. Sur le continent européen, la Russie l'a conservée dans sa législation
mais elle n'exécute plus depuis 20 ans. Seul la Biélorussie pratique encore la peine de mort.

Mais ailleurs dans le monde, on condamne encore à mort et on exécute dans de nombreux pays et particu-
lièrement en Afrique et en Asie, notamment en Chine qui est de loin le pays du monde où le plus grand
nombre de condamnés sont exécutés, sans que l'on puisse d'ailleurs savoir exactement combien.

| 35 | Sur le continent américain, la peine de mort est partout soit abolie soit non appliquée à l'exception notoire des États–Unis. Avec d'importantes différences entre les Etats. Certains ont aboli la peine de mort, d'autres n'exécutent plus ; d'autres encore exceptionnellement et enfin il y a ces Etats du sud où la peine de mort est fréquemment appliquée, avec en numéro 1 le Texas. |

| 40 | Pour terminer, précisons tout de même la tendance générale dans le monde : il y a de moins en moins d'Etats qui ont la peine de mort dans leur code pénal et là où la peine de mort existe toujours elle est de moins en moins appliquée Amnesty a répertorié 690 exécutions en 2018 au lieu de 993 en 2017. C'est clair il y a 38 ans la France allait bien dans le sens de l'histoire mais il aura fallu du temps : car Victor Hugo, en écrivant le *Dernier jour d'un condamné* avait lancé un plaidoyer retentissant. C'était en 1832 ! |

https://www.rtbf.be/lapremiere/article/detail_pourquoi–la–peine–de–mort–a–t–elle–ete–abolie–en–france?id=10318301 (consulté le 24/05/20)

Tâches

1) Expliquez pourquoi Robert Badinter, Garde des Sceaux du premier septennat de François Mitterand a voulu faire abolir la peine de mort et en quoi cette decision était courageuse.

2) Notez sur quell continent et, le cas échéant, dans quel pays elle est encore pratiquée.

3) Faut–il, selon vous abolir la peine de mort dans tous les pays du monde.

Procès–verbal de l'affaire des lignes téléphoniques

Procès–verbal

Dossier N°:

Autorité compétente :   <u>Procureure de M.</u>

Les faits : _____

Suspect _____

Témoin _____

auditionné :

_____

_____

Les motifs du délinquant : _____

_____

« quelque chose que l'on essaye de vous dire depuis le début »

Avec votre partenaire, lisez les textes encadrés et essayez d'expliquer comment Puértolas arrive à tromper le lecteur.

A) *L'officier de police parle ici à Félicien Nazarien.* (pp. 52–53)

– Il ne mettait pas de chaussures ? Je vous demande cela, parce que je vois qu'il est pieds nus.

Le vieillard fronce les sourcils, me regarde comme si je venais de sortir la plus grande bêtise. On va encore me trouver très citadin.

– Des chaussures ? On voit que vous venez de la ville ! (Qu'est–ce que je vous disais !) Il avait des sabots aux pieds, inspecteur. On appelle ça des sabots.

– Pas sur ce cliché.

L'homme jette un coup d'œil.

– On ne les voit pas parce que la photo est coupée. Ils sont dans l'herbe.

Des sabots, bien sûr, ces gros chaussons inconfortables, taillés dans des bûches de trente kilos. J'imagine que le pauvre enfant devait les quitter à la moindre occasion.

B) *L'officier de police parle ici à Félicien Nazarien.* (p.57)

Ses parents, c'était Martin et Lydie. De sacrés bosseurs, je peux vous dire. Lui travaillait à la ferme, elle allait chercher de l'eau à la source. À six kilomètres quand même ! En pleine montagne ! Et plusieurs fois par jour. C'était du temps où il n'y avait pas encore l'eau courante à P. On l'a tuée à la tâche, la pauvre...

– Nom de famille

– Pour quoi faire un nom de famille ? Juste Martin et Lydie.

Il avale une nouvelle rasade de Ricard.

– Est–ce que Joël allait à l'école ?

Le vieil exploitant lâche un petit rire moqueur.

– À l'école ? C'était un âne, inspecteur !

C) *L'officier de police parle ici à Martine Moinard.* (p.68)

– Il lui passait une corde au cou (elle mime le geste) ou à la jambe, je peux même vous montrer la corde et le piquet. [...]

– Il laissait le pauvre petit attaché là des heures, sous le soleil. Quelle ordure ! Et après, on dit que c'est moi la folle ! (Elle lance un regard noir au garde champêtre.) Parce que j'ai des chats et des chiens. Parce que j'aime les bêtes, moi ! Mais je ne suis pas folle, et il y a des humains qui sont pires que des animaux, inspecteur.

D) *L'officier de police parle ici à Martine Moinard.* (pp.70–71)

– Cela lui arrivait souvent d'aller se promener à la nuit tombée ? On m'a dit qu'il fuguait de temps en temps.

– « Fuguait » ? Il goûtait à sa liberté. Quand il n'était pas attaché comme un chien... Enfin, « un chien », même moi je ne tiens pas les miens en laisse. Il venait me voir, souvent. Il traversait la route. On papotait tous les deux. Je lui donnais quelque chose à boire. Je fais de l'orangeade comme personne. Il aimait l'orangeade. Et vous, inspecteur ! Quand il venait, j'enfermais les chats dans la maison parce qu'ils ne supportaient pas sa présence. Ils feulaient comme des panthères. Ils devaient être jaloux de mon amour pour Joël. Y a pas plus jaloux qu'un chat. Les chiens, ils ne disaient rien. Ils sont gentils. Je m'asseyais là, avec lui, sur le perron. Il posait parfois sa tête sur mon épaule. Il était bien avec moi. Je sentais toute sa détresse. On causait de tout et de rien. Je lui donnais une pomme quand il était sage. Il aimait les pommes. Bien rouges. Surtout celles de mon jardin. Je l'ai déjà vu traîner dans le coin pour m'en chaparder une ou deux. Mais je ne disais rien »

E) *L'officier de police parle ici au curé du village.*

– Joël venait–il à la messe ?

– À la messe ? Quelle drôle d'idée ! La rumeur court que vous posez de drôles de questions sur Joël, j'en ai maintenant confirmation, c'est tout à fait délicieux. À la messe ! (Il rigole puis reprend son sérieux.) J'allais voir Joël chez Félicien. On faisait de grandes balades ensemble dans les champs ou le long de la rivière.

J'aimais sa compagnie, ça me changeait des hommes. Et de leurs péchés. J'ai toujours des bonbons sur moi.

Il adorait les bonbons, surtout ceux au citron. Alors on partageait le paquet. Mais il en mangeait toujours plus que moi. (p.134)

F) *L'officier de police parle ici au curé du village.* (pp. 135–136)

– Joël vous a–t–il déjà confié qu'on lui voulait du mal ?

– Quelle idée ! Personne ne lui voulait de mal !

– Pourtant, son père adoptif le frappait.

– Son père adoptif ? répète–t–il en fronçant les sourcils

– Félicien Nazarian.

– Oh ! s'exclame–t–il, semblant soudain comprendre de qui je parle, à moins que ce ne soit ce terme « père adoptif » qui l'ait troublé.

G) *L'officier de police écrit ici à la procureure.* (p.137)

Suis–je le seul à avoir l'impression d'être tombé chez les sauvages ? d'avoir franchi une frontière, d'avoir exploré, à la manière d'un nouveau Gulliver, un pays jusqu'alors inconnu, aux surprenantes coutumes ? Une île de barbares à deux petites heures de notre grande ville ?

Ces gens me sidèrent. Face à leurs réactions, ou plutôt à leur manque flagrant de réaction, j'ai l'impression de ramer à contre–courant dans une rivière déchaînée.

H) *L'officier de police parle ici à Martine Moinard.* (p. 296)

– Vous allez me tuer comme vous avez tué Joël ?

– Vous tuer, inspecteur ? Oh non. J'ai déjà trop de sang sur les mains. Parce que si Félicien s'est tué, c'est un peu à cause de moi, non ? Et puis, même si j'aíme plus les animaux que les hommes, je ne pourrais me résoudre à tuer un homme.

✂———

Puértolas utilise plusieurs moyens pour tromper le lecteur. Lisez ces moyens ci–dessous et rapportez les différents extraits encadrés. Justifiez votre choix.

	Moyen(s) utilisé(s)	Extrait	Justification
1	Jeu sur l'ambiguïté logique		
2	Jeu sur l'ambiguïté sémantique Jeu sur le glissement logique		
3	Jeu sur l'ambiguïté sémantique Jeu sur le non–dit		
4	Jeu sur les préjugés		
5	Jeu sur les mots Jeu sur les préjugés		
6	Jeu sur l'ambiguïté sémantique Jeu sur le glissement logique		
7	Jeu sur les mots Jeu sur les préjugés		
8	Jeu sur le non–dit		

Le roman policier

1) Lisez l'une des règles établies dès 1928 par Van Dine et montrez en quoi le roman de Puértolas respecte ou non la règle.

« 1. Le lecteur et le détective doivent avoir des chances égales de résoudre le problème ».

« 5. On doit déterminer l'identité du coupable par une série de déductions, et non par accident, par hasard ou à la suite d'une confession volontaire ».

« 10. Le coupable doit toujours être quelqu'un ayant joué un rôle véritable dans le roman, que le lecteur connaisse suffisamment pour s'y être intéressé. Accuser du crime, au dernier chapitre, un personnage qu'il vient de faire apparaître et qui a joué un rôle trop minime auparavant reviendrait, de la part de l'auteur, à un aveu d'impuissance vis–à–vis du lecteur ».

« 14. La méthode selon laquelle le crime est commis et les moyens devant permettre de démasquer le coupable doivent être rationnels et scientifiques. La science–fiction, avec ses instruments dus à la seule imagination, n'a pas sa place dans un véritable roman policier ».

« 15. La clé de l'énigme doit être apparente tout au long du roman, à condition, bien entendu, que le lecteur soit assez perspicace pour la déceler. [...] ».

« 19. Le mobile du crime doit toujours avoir un caractère strictement personnel. Le roman doit refléter les expériences et préoccupations quotidiennes du lecteur et offrir en même temps un exutoire relatif à ses aspirations ou à ses émotions refoulées ».

✂―――

Avant de réfléchir à la troisième règle, lisez, s'il vous plaît, les chapitres 15, 53 et 66

« 3. Le véritable roman policier ne doit pas comporter d'intrigue amoureuse. En introduire une reviendrait, en effet, à fausser un problème devant rester purement intellectuel ».

Fiche 19 Le monde paysan en littérature et au cinéma

1) La critique de l'*Entourloupe*

Lisez le texte suivant et analysez la manière caricaturale dont, selon l'auteur, le film présente les paysans.

René Duranton s'inscrit dans la droite ligne de Gérard Pirès qui produit en 1979 *L'Entourloupe*. Un
film dans lequel Jacques Dutronc et Gérard Lanvin
incarnent[26] deux escrocs[27] sympathiques sans
5 envergure. Pour conjurer[28] leur destin de per-
dants, ils s'échinent[29] sans succès à vendre des
encyclopédies médicales dans une Charente ma-
ritime pluvieuse et boueuse, sous la houlette[30]
d'un Jean–Pierre Marielle bonimenteur né. Il leur
10 donne le la[31] : « N'oubliez pas que nous avons affaire à des gens qui ne sont pas des lumières ».De
fait, les traits prêtés aux autochtones constituent
un véritable florilège[32] : ici un paysan hirsute[33],
grimpé sur une échelle éructe[34] des injures, et
15 lance dans un français patoisant au vendeur de
santé venu tenter sa chance « L'encyclopédie,
j°m'enfous pas mal, j'ai pas malade. Tu vas me
foutre la paix ». Là, dans une ferme aux bâtiments
en mauvais état, avec au centre de la cour un tas
20 de fumier[35]

auprès duquel un enfant est assis, Jacques Dutronc fait l'article à trois cultivateurs et à la maîtresse des lieux. Plusieurs gros plans insistent
avec complaisance[36] sur la saleté des individus,
25 non rasés, mal peignés, aux vêtements fatigués, à
l'élocution pesante[37] et soulignent leur salacité[38]
à la vue de certaines pages de l'encyclopédie. Es-
timant qu'un vendeur d'ouvrage médical peut faire
un bon médecin, la fermière l'entraîne dans une
30 étable[39] sombre à souhait où, séparé des bêtes
par une simple cloison[40], gît[41] sur une paillasse[42]
le grand–père, casquette sur la tête et fort mal en
point. « V'la de l'héritage » dit la femme. Présenté
par le cinéaste comme un idiot, le vieux est « aus-
35 culté[43] » par Dutronc à la manière d'un Diafoirus[44]
qui établit son diagnostic : « ce n'est pas un can-
cer, c'est une angine ». Et de prescrire garga-
rismes[45] au gros sel et boisson chaude au citron,
des ingrédients à aller chercher chez l'épicier.

40 Ronald Hubscher : *Cinéastes en campagne*. Paris :
Cerf–Corlet 2011, pp.66–67.

---

[26] incarner qc: etw. verkörpern.

[27] un escroc: Betrüger.

[28] conjurer: abwenden, bannen.

[29] s'échiner: sich abschinden.

[30] sous la houlette: unter der Führung.

[31] donner le la: den Ton angeben.

[32] le florilège: die Blütenlese.

[33] hirsute: zersaust.

[34] éructer: ausstoßen.

[35] le fumier: Stallmist.

[36] avec complaisance: selbstgefällig.

[37] pesant, pesante: schwerfällig.

[38] la salacité: Lüsternheit.

[39] une étable: Stall.

[40] une cloison: Wand.

[41] gît < gésir, ind. présent: ruhen.

[42] une paillasse: Strohmatratze.

[43] ausculter: abhorchen, abhören.

[44] un Diafoirus: ein unfähiger und betrügerischer Arzt (nach
einer Figur aus Molières Stück: *der eingebildete
Kranke*).

[45] un gargarisme: Gurgeln.

2) L'interview de la famille de Daniel dans *La Vie moderne* de Raymond Depardon.

Vous avez trois minutes pour lire les énoncés suivants. Ensuite, vous verrez la séquence deux fois. Après chaque visionnage, vous aurez trois minutes pour parfaire vos réponses.

		Vrai	Faux	On ne sait pas
1	Le couple a trois garçons et quatre filles.	□	□	□
2	Daniel n'aime pas travailler à la ferme.	□	□	□
3	Il préférerait travailler à l'usine.	□	□	□
4	Les agriculteurs âgés n'ont pas une retraite élevée.	□	□	□
5	Il travaille à la ferme parce que ses parents le voulaient.	□	□	□
6	Il se sent seul à la campagne.	□	□	□
7	Il veut s'acheter une auto.	□	□	□
8	Il n'a pas le temps de prendre des vacances.	□	□	□
9	Il travaille depuis cinq ans dans une auberge et les gens sont contents de lui.	□	□	□
10	Il n'aime pas l'agriculture parce que le travail est dur.	□	□	□
11	Il voudrait s'associer avec des voisins	□	□	□
12	Il a fait des études supérieures	□	□	□

3) Une analyse de *La Vie moderne*.

Soulignez, dans le texte suivant, ce qui constitue les qualités de *La Vie moderne*.

Pour Jacques Morice de Télérama, « *La Vie moderne* parle à chacun de nous, ne cesse d'éveiller des résonances ». « On pense en voyant ce film à Dreyer[1], formidable cinéaste des visages », es-
5 time quant à lui Laurent Devanne, et de conclure sur l'auteur : « Formidable cinéaste de la parole, il nous fait entendre celle de ceux que l'on appelle « les taiseux »[2]. Film « exceptionnel » selon l'Humanité. Et tous de louer la sobriété[3] des images,
10 le refus du misérabilisme[4] et de la compassion[5]. Ajoutons pour notre part un rejet du pittoresque[6], des fioritures[7], et pourrait–on dire un penchant pour une austérité[8] janséniste[9], le parti pris d'occulter les travaux agricoles – un détour obligé
15 dans de nombreux films, pour s'attacher essentiellement, en photographe chevronné[10] et portraitiste subtil, à capter les visages, les regards, et ce qu'ils livrent des émotions intérieures. De même, la parole des protagonistes marquée par une cer-
20 taine lenteur est–elle essentielle, et tout autant leurs longs silences, une manière de rendre compte, ce qui est rarement traduisible au cinéma,

d'une temporalité propre au monde paysan. Fin observateur des comportements, l'auteur des *Pro-*
25 *fils paysans* s'attache aux gestes et aux postures[11] de ses acteurs, à la manière dont ils se déplacent dans l'espace de la cuisine ou de la cour, à la façon de mettre leur casquette, pour ne pas parler de leur usage de l'occitan et de leur accent ; il met
30 en parallèle le style, l'allure dégagée, la gestuelle[12] de la nouvelle génération marquée par son origine citadine, comme cette nouvelle venue dans la saga, la jeune Amandine Gagnaire, troquant[13] la banlieue lyonnaise pour un élevage de
35 chèvres. [...] Pour lui, il n'est nullement question de nostalgie, de mélancolie. Ce n'est pas un monde qui disparaît ou « un monde à part ». « Pour la première fois on décèle de l'espoir. Nous sommes très contents d'avoir filmé un exploitant

---

[1] Carl Theodor Dreyer(1889–1968): un des grands metteurs en scène du cinéma muet.

[2] un „taiseux": qn qui se tait.

[3] la sobriété: Schlichtheit.

[4] le misérabilisme: Darstellung, die das soziale Elend hervorhebt, um Mitleid zu erwecken.

[5] la compassion: das Mitgefühl.

[6] le pittoresque: das Malerische.

[7] la fioriture: Verzierung.

[8] l'austérité (f.): Schmucklosigkeit.

[9] janséniste < jansénisme: moralisch sehr strenge Orientierung im Katholizismus des 17. und 18. Jdt.

[10] chevronné (e): erfahren, versiert.

[11] la posture: Haltung.

[12] la gestuelle: Gestik.

[13] troquer qc pour qc: etw. gegen etw. tauschen.

40 qui construit sa ferme dans le Parc des Cévennes[1]. Il y a une séquence dont je suis très fier
où l'on voit un petit garçon dire qu'il veut faire le
métier de son papa, qu'il ne veut pas aller en
ville ».

45

Ronald Hubscher : *Cinéastes en campagne*. Paris : Cerf–Corlet 2011, pp.271–272

4) Les paysans en littérature

Lisez le texte suivant et discutez pour déterminer si Pérochon donne, ici, une image négative ou positive des paysans.

Dans son roman Le Creux de maisons (1913), Ernest Pérochon raconte la vie des Patureau, une famille de paysans très pauvres vivant dans un village appelé Pelleteries un peu avant la Première guerre mondiale. Comme leur misère est très grande, les enfants – deux jumeaux et de filles – doivent aider leur père Séverin en cherchant de la nourriture.

Les enfants avaient un peu glané[2] au temps des moissons ; en automne ils coururent les champs pour trouver, dans les haies, des châtaignes ou-bliées. Les deux petites allaient ensemble et le
5 plus souvent revenaient les poches à peu près vides ; les bessons[3], au contraire, ne se déran-geaient jamais pour rien ; ils rentraient joyeux et lourds, à cause des goussets[4] trop pleins raidis-sant[5] leurs petites jambes ; fiers de leur chance,
10 ils se moquaient de Louise et de Georgette en je-tant sur la table les châtaignes luisantes, les belles égrenelles[6] noires à cul[7] blanc.

Or, un dimanche matin, un fermier du Haut–Vil-lage se plaignit[8] en passant de ce qu'on eût pillé[9]
15 les basses branches d'un marronnier tardif qui n'avait pas encore été gaulé[10]; à son idée, les cou-pables étaient les drôles[11] des Pelleteries : deux Maufret sans doute et les Pâtureau.

Séverin appela les petits et les interrogea ; ils niè-
20 rent. Le fermier, qui d'ailleurs n'attachait aucune importance à l'affaire, avoua qu'il avait pu se trom-per. Mais Séverin n'aimait pas ces contes[12] ; bien

que le crime ne fût pas absolument prouvé, les deux enfants reçurent une énergique correction.
25 Quand ils eurent cessé de crier, leur père les em-mena à un détour du Chemin–Roux où poussait une grosse touffe de genêt[13].

Là, il leur fit couper à chacun un maître scion[14] qu'il essaya sur leurs mollets[15] et qu'il emporta en-
30 suite à la maison. Puis, quand les deux branches de genêt furent placées sur la cheminée, l'une à droite du clairon[16], l'autre à gauche, Séverin les montra à ses quatre aînés.

– Les drôles ! Vous voyez ces scions verts : si je
35 les descends, ce sera une pitié[17]. Quand j'étais petit, j'ai été malheureux comme les pierres et votre tante Victorine aussi. Mais nous n'avons ja-mais pris un épi[18] dans une gerbe[19] ni une égre-nelle devant les ramasseurs[20]. Eh bien ! Mes drôles
40 ne le feront pas non plus! Remarquez ce que je vous dis : si j'apprends une autre fois que vous avez fait tort à quelqu'un d'une poire, d'une prune,

---

[1] les Cévennes (f. pl.): südöstlichste Teil des französischen Zentralmassivs.

[2] glâner des fruits: lesen.

[3] les bessons (veraltet): Zwillinge.

[4] le gousset: Tasche.

[5] raidir: versteifen.

[6] une égrenelle: glänzende Esskastanie.

[7] le cul: hier die Basis der Kastanie.

[8] se plaindre: sich beklagen.

[9] piller: plündern.

[10] gauler: herunterschlagen.

[11] le drôle: liebevolle Bezeichnung für ein Kind.

[12] le conte: hier Geschichte.

[13] une touffe de genêt: Ginsterbüschel.

[14] le scion: junger Zweig.

[15] le mollet: Wade.

[16] le clairon: Bügelhorn (während seines Wehrdienstes war Séverin Hornist).

[17] la pitié: Mitleid. Hier „Jammer".

[18] un épi: Ähre.

[19] une gerbe: Garbe.

[20] un ramasseur: Ernteleser.

d'une épingle, d'un grain de froment[1], je prends ces scions et je vous pèle[2] les fesses !

45 Les bessons étouffèrent leurs sanglots[3], car le père parlait d'une voix très dure. Il était bon pour eux. Jamais il ne les avait battus avant ce jour ; mais il parlait d'une voix très dure parce qu'il n'avait point failli[4] et parce qu'il savait l'honnêteté
50 difficile aux pauvres.

A partir de ce dimanche, les enfants ne rapportèrent plus guère de châtaignes ; la saison, d'ailleurs, en passa vite ; on fut bientôt en plein hiver et la grande misère recommença encore une fois.

55 Ernest Pérochon : *Les creux de maisons* [1913], La Crèche : Geste Editions 1999, pp.141–142

Lisez le texte suivant et discutez pour déterminer si Balzac donne, ici, une image négative ou positive des paysans.

Emile Blondet, un journaliste parisien, se rend à la campagne où il voit un vieux paysan assis près d'une rivière.

Il reconnut dans cet humble[5] personnage un de ces vieillards affectionnés[6] par le crayon de Charlet[7], qui tenait aux troupiers[8] de cet Homère des soldats, par la solidité d'une charpente[9] habile à
5 porter le malheur, [...], par une figure rougie, violacée[10], rugueuse[11], inhabile à la résignation. Un chapeau de feutre[12] grossier, dont les bords tenaient à la calotte[13] par des reprises[14], garantissait des intempéries cette tête presque chauve ; il
10 s'en échappait deux flocons de cheveux, qu'un peintre aurait payé quatre francs à l'heure pour pouvoir copier cette neige éblouissante[15] et disposée[16] comme celle de tous les Pères éternels classiques. À la manière dont les joues rentraient
15 en continuant la bouche, on devinait que le vieillard édenté s'adressait plus souvent au tonneau[17] qu'à la huche[18]. Sa barbe blanche, clairsemée[19], donnait quelque chose de menaçant à son profil par la roideur[20] des poils coupés court. Ses yeux,
20 trop petits pour son énorme visage, inclinés comme ceux du cochon, exprimaient à la fois la ruse[21] et la paresse ; mais en ce moment ils jetaient comme une lueur[22], tant le regard jaillissait[23] droit sur la rivière. Pour tout vêtement, ce pauvre
25 homme portait une vieille blouse, autrefois bleue, et un pantalon de cette toile grossière[24] qui sert à Paris à faire des emballages[25]. Tout citadin aurait frémi[26] de lui voir aux pieds des sabots cassés, sans même un peu de paille pour en adoucir les
30 crevasses[27]. Assurément, la blouse et le pantalon n'avaient de valeur que pour la cuve[28] d'une papeterie. En examinant ce Diogène campagnard, Blondet admit la possibilité du type de ces paysans qui se voient dans les vieilles tapisseries[29],
35 les vieux tableaux, les vieilles sculptures, et qui lui paraissait jusqu'alors fantastique. Il ne condamna plus absolument l'école du laid en comprenant

---

[1] un grain de froment: Weizenkorn.

[2] peler: schälen.

[3] étouffer un sanglot: Tränen unterdrücken.

[4] faillir: einen Verstoß begehen.

[5] humble: einfach, unscheinbar.

[6] affectionner: mögen, bevorzugen.

[7] Nicolas–Toussaint Charlet (1792–1845): historischer Maler, der in seinen Gemälden die Kriege Napoléons aus der Perspektive des einfachen Soldaten zeigte.

[8] le troupier: einfacher Soldat.

[9] la charpente: Körperbau.

[10] violacé (e): bläulich.

[11] rugueux, rugueuse: rau.

[12] le feutre: Filz.

[13] la calotte: Kopfteil eines Hutes.

[14] la reprise: hier Stopfen.

[15] éblouissant: strahlend.

[16] disposé (e): angeordnet.

[17] le tonneau: Fass.

[18] la huche: Brotkasten.

[19] clairsemé: spärlich.

[20] la roideur: (veraltet für raideur) Steifheit.

[21] la ruse: List.

[22] la lueur: Glühen.

[23] jaillir: aufleuchten.

[24] grossier, grossière: grob.

[25] un emballage: Verpackung.

[26] frémir: erschauern.

[27] la crevasse: Riss, Schrunde.

[28] la cuve: hier Bottich zur Papierherstellung.

[29] la tapisserie: Wandteppich.

que, chez l'homme, le beau n'est qu'une flatteuse[1] exception, une chimère à laquelle il s'efforce de
40 croire.

– Quelles peuvent être les idées, les mœurs[2] d'un pareil être, à quoi pense–t–il ? se disait Blon-det pris de curiosité. Est–ce là mon semblable[3] ? Nous n'avons de commun que la forme, et en-
45 core !

Il étudiait cette rigidité[4] particulière au tissu[5] des gens qui vivent en plein air, habitués aux intempé-ries de l'atmosphère, à supporter les excès du froid et du chaud, à tout souffrir enfin, qui font de

50 leur peau des cuirs[6] presque tannés[7], et de leurs nerfs un appareil contre la douleur physique, aussi puissant que celui des Arabes ou des Russes. – Voilà les Peaux–Rouges de Cooper[8], se dit–il, il n'y a pas besoin d'aller en Amérique pour obser-
55 ver des sauvages. Quoique le Parisien ne fût qu'à deux pas, le vieillard ne tourna pas la tête, et re-garda toujours la rive opposée avec cette fixité que les fakirs de l'Inde donnent à leurs yeux vitri-fiés[9] et à leurs membres ankylosés[10].

Balzac : *Les Paysans* [1855], Paris : Larousse 1957, pp.36–37

5) Perception du monde paysan aujourd'hui.

Lisez le texte ci–dessous et répondez aux questions suivantes :

- Relevez les mesures prises par les exploitants agricoles pour se moderniser après et depuis les années 1990
- Pourquoi le grand public ne perçoit–il pas ces changements ?
- Comment le monde paysan perçoit–il la situation ?

https://www.francetvinfo.fr/economie/emploi/metiers/agriculture/le–monde–paysan–se–sent–rejete–par–la–societe–pourquoi–des–agriculteurs–denoncent–ils–l–agribashing_3670705.html **(consulté le 20/07/20)**

---

[1] flatteur, flatteuse: schmeichelhaft.

[2] les mœurs (fpl.): Sitten.

[3] le semblable: Mitmensch.

[4] la rigidité: Steifheit, Festigkeit.

[5] le tissu: Gewebe.

[6] le cuir: Leder.

[7] Tanner: gerben.

[8] James Fenimore Cooper (1789–1851): Autor des Bestsel-lers *Der letzte Mohikaner* (1826).

[9] vitrifier: zu Glas verschmelzen.

[10] ankylosé: unter einer Gelenkversteifung leidend.

Le monde paysan se sent rejeté par la société :

Pourquoi des agriculteurs dénoncent–ils "l'agribashing" ?

"France, veux–tu encore de tes paysans ?" Depuis plusieurs semaines, de nombreux **agriculteurs** manifestent dans toute la France pour faire entendre leur détresse et dénoncer ce qu'ils qualifient d'"agribashing". [...]

5 **Franceinfo** : Que signifie le terme "agribashing" et comment l'expliquer ?

Jean Viard : "Bashing" signifie "critique" en anglais. Au travers de ce slogan, les manifestants ont voulu montrer que le monde paysan se sent
10 rejeté [1] par la société. Ils veulent insister sur l'aspect moderne et sans doute éviter de passer pour des "culs terreux"[2]. [...] Ce sentiment d'"agribashing" s'explique tout d'abord par un décalage[3] entre ce que la ville demande au monde rural et
15 la façon dont les paysans se perçoivent eux–mêmes.

Par exemple, cela fait trente ans que le réchauffement climatique est présent dans les fermes et les paysans s'y sont adaptés, en modifiant leurs
20 systèmes de culture, d'arrosage[4]. Ils ont évolué, mais dans leur propre univers technologique, et ce n'est pas forcément visible pour le grand public. Il y a aussi le sentiment d'avoir fait tout ce qu'on leur demandait, notamment depuis la Se-
25 conde Guerre mondiale, mais que cela n'a pas été reconnu. Aujourd'hui, la sécurité des aliments est garantie, on ne meurt plus à cause de la nourriture : il y a un siècle, il y avait des centaines de morts par an à cause de la nourriture, de l'ab-
30 sence de chaîne du froid, etc. Certes, tout n'est pas parfait, mais on n'a plus peur de s'intoxiquer quand on fait ses courses. Nous avons gagné vingt ans d'espérance de vie depuis 1945, en partie à cause de l'amélioration de notre alimentation.

35 Les agriculteurs ont l'impression que la ville voit seulement en eux des utilisateurs de pesticides ou de glyphosate, ce qui n'est pas entièrement faux, mais on ne voit pas les énormes évolutions qui ont été faites.

40 **Franceinfo** : Justement, comment l'agriculture a–t–elle transformé la France depuis la fin de la Seconde Guerre mondiale ?

Jean Viard : En 1945, il y avait trois millions de fermes, des petites fermes assez pauvres, très
45 peu modernes, sans électricité ni eau courante.

Le général de Gaulle a demandé à son ministre de l'Agriculture Edgard Pisani de faire entrer l'agriculture française dans la modernité [...] C'est sous Edgard Pisani que les produits chimiques
50 commencent à être utilisés dans les champs, qu'on mécanise la production, qu'on met en place des organisations professionnelles, des coopératives[5], pour fédérer[6] le monde agricole. Tous ces investissements ont un prix et les agriculteurs se
55 sont endettés [...].

A l'époque, la logique, c'était d'emprunter pour avoir plus d'hectares, plusieurs tracteurs, une moissonneuse puis une machine à vendanger... Mais ce n'est plus d'actualité. Aujourd'hui, l'agri-
60 culture entre dans le monde numérique et écologique. Il faut pouvoir voir ses champs par ordinateur, suivre en direct les cours du blé ou du maïs, développer la livraison à domicile [...] Donc, le modèle est bousculé[7] et les agriculteurs n'ont pas
65 les moyens d'y faire face[8] dans l'immédiat. [...]

Franceinfo : Pour d'autres agriculteurs et citoyens, ce slogan de "l'agribashing" empêche néanmoins toute remise en cause du modèle productiviste...

70 **Jean Viard :** La ville et la campagne n'avancent pas à la même vitesse. La demande écologique d'un changement de modèle, essentiellement urbaine, s'accélère, mais la mutation du monde agricole est beaucoup plus lente. En France, 20%
75 des 440 000 fermes sont déjà passées au bio, certaines se tournent vers les agricultures locales ou paysannes, mais il faut de l'argent pour une conversion[9] et il faut recevoir les aides dans les temps. Si on vous donne l'aide deux ans après, et
80 bien vous êtes mort de faim en attendant !

Les campagnes ne sont pas uniformes non plus. Moi j'habite à la campagne : devant chez moi, il y a une ferme bio et derrière, une ferme qui met du désherbant à outrance. Dans un même village, on
85 va avoir des pratiques extrêmement différentes... Il y a des gens à Paris qui sont convaincus que l'agriculture urbaine peut nourrir la capitale, mais chaque jour à Paris, on mange 1,2 million d'œufs. Ce n'est pas une production qu'on obtient dans
90 des élevages[10] de 80 poules ! L'idée que la ville

---

[1] être rejeté: verstoßen werden.

[2] un cul–terreux (fam, pej): ein Hinterwäldler.

[3] un décalage: Diskrepanz.

[4] l'arrosage: Sprengen, Gießen.

[5] une coopérative: Genossenschaft.

[6] fédérer: zusammenschließen.

[7] bousculer: durcheinanderbringen.

[8] faire face à qc: hier etw. gegen etw unternehmen.

[9] une conversion: Umwandlung.

[10] un élevage: Zucht.

va être indépendante en matière alimentaire est un mythe, certes positif.

Quant aux responsables politiques, le président Emmanuel Macron n'est pas implanté dans la
95 paysannerie et il y a un manque de lien. […]

Franceinfo : Qu'est–ce que cela dit du rapport des élus à l'agriculture ?

Jean Viard : Cela montre que les paysans ne valent plus rien électoralement[1] ; c'est l'ancienne
100 classe dominante devenue minorité. Pourtant, la France est le pays où la paysannerie a façonné[2] l'identité républicaine. […] Mais aujourd'hui, les paysans ne font plus élire les maires, sauf dans certaines petites communes rurales. […] D'un
105 autre côté, les paysans qui ne sont plus assez nombreux ont l'impression qu'on leur dit d'arrêter de travailler en leur prenant 150 mètres de leur champ. Or s'il y a un voisin, en général, c'est l'Etat qui a livré les permis de construire des habitations

110 à côté des champs ! Il a donc la responsabilité de la cohabitation[3].

Franceinfo : Cette cohabitation entre agriculteurs et non–agriculteurs est–elle nouvelle ?

Jean Viard : Le monde rural est désormais con-
115 voité[4] par d'autres acteurs que les agriculteurs. En France, vous avez 12 millions d'appartements, 16 millions de maisons avec jardin et 440 000 exploitations agricoles[5]. On a mis des maisons au milieu des champs et ça provoque des problèmes
120 de voisinage entre les agriculteurs et les habitants qui n'existaient pas avant. […] Il ne faut pas oublier qu'il y avait 3 millions de fermes en 1945 et qu'il n'en reste plus que 440 000, donc on assiste à la plus grande destruction de métier. L'histoire
125 de la modernité agricole, c'est 2,5 millions de familles traumatisées par l'abandon de la ferme. […].

https://www.francetvinfo.fr/economie/emploi/metiers/
agriculture/le-monde-paysan-se-sent-rejete-par-la-societe-
pourquoi-des-agriculteurs-denoncent-ils-l-
agribashing_3670705.html (11/16/21)

---

[1] électoralement: aus der Perspektive der Wahlen.

[2] façonner: formen.

[3] la cohabitation: Zusammenleben.

[4] convoiter: begehren.

[5] une exploitation agricole: ein landwirtschaftlicher Betrieb.

La nuit fatidique

heure	22 heures	22 heures 45		Vers minuit			1 heure 25						Midi
Officier (chap.)	60							62				65	
Action				quitte l'hôtel	roule vers la maison de Martine	entre chez Martine	est assommé	se retrouve ligoté A bu du Torrox		voit Provincio entrer dans la pièce		voit Provincio assommer Martine	se réveille
Lieu					sur la route	maison de Martine	maison de Martine	maison de Martine	maison de Martine	maison de Martine	maison de Martine	maison de Martine	maison de Martine
Provincio (chap.)	61			64									
Action	réfléchit au passé	confirme l'existence du tunnel	réfléchit	trouve l'entrée du tunnel	croise l'auto de Raymond		cherche l'inspecteur Comprend qu'il était dans l'auto	cherche l'inspecteur	entre dans le tunnel	trouve l'inspecteur	fait vomir l'inspecteur Veut le délivrer	assomme Martine	
Lieu	chez soi	chez un ami du cadastre	chez soi	maison de Félicien	sur la route		hôtel	village	maison de Félicien	maison de Martine	maison de Martine	maison de Martine	

Le télégramme

Bibliographie

Sources:

Pérochon, Ernest: Le Creux de maisons [1913], Paris: Editions du rocher 2004

Balzac, Honoré de: *Les Paysans* [1855], Paris: Larousse 1957

Puértolas, Romain: *La Police des fleurs, des arbres et des forêts.* Paris: Albin Michel 2019

Littérature critique:

Bizer, Marc: *Les lettres romaines de Du Bellay : Les Regrets et la tradition épistolaire.* Montréal: Presses de l'Université de Montréal, 2001, S 17–59.

Bourdier, Jean: *Histoire du roman policier.* Paris: Editions de Fallois 1996.

Calas, Frédéric: *Le roman épistolaire.* Paris: Armand Collin 2001.

Caron, Jean–Claude: *A l'école de la violence. Châtiments et sévices dans l'institution scolaire au XIXe siècle*; Paris : Aubier, 1999.

Cicurel, Francine: „Postures et démarches pédagogiques face au texte littéraire en classe de langue étrangère". In: Chodzkiene, Loreta (unter der Leitung): *Language Teaching and Learning in Multicultural and Plurilingual Europe.* Université de Vilnius, 2007.

Ferreyrolles, Gérard, „L'épistolaire, à la lettre". In: *Littératures classiques*, 2010/1 (N° 71), S. 5–27

Hubscher, Ronald: *Cinéastes en campagne.* Paris: Cerf–Corlet 2011.

Knopf, Julia / Müller, Ann–Kristin: „Kombinieren und Entschlüsseln. Zum Potential von Rätsel und Geheimnissen in Kinderkrimis für die Lesermotivation…". In: *SuS JuLit* – Heft 3 / 2018, S. 15–20

Losfeld, Christophe: „Un détective très très très spécial de Romain Puértolas : un roman qui ne l'est pas moins". In: Bender, Martina e. a. (Hg.): *Nonkonformismus und Subversion. Festschrift zu Ehren von Thomas Bremer.* Wettin–Löbejun: Stekovics 2020, S. 271–282.

Meier, Jörg: „Kommunikationsformen im Wandel. Brief – E–Mail – SMS". In: *WerkstattGeschichte*, 60 (2012), S. 58-75.

Michel Picard: *La lecture comme jeu.* Paris: Editions de minuit 1986

Moliné, Georges: *Dictionnaire de rhétorique*, Paris : Livre de poche, 1992

Reuter, Yves: *Le roman policier.* Paris: Nathan Université 1999

Rudelle, Muriele: *Le village autrefois.* Paris: Hoëbeke 2005

Simonet-Tenant, Françoise, „Aperçu historique de l'écriture épistolaire: du social à l'intime". In: *Le français aujourd'hui*, 2004/4 (n° 147), S. 36–40

Pincas, Stéphane / Loiseau Marc: *Histoire de la publicité*, Cologne ; Taschen 2008

Vareille, Jean–Claude: „Préhistoire du roman policier". In: *Romantisme*, 1986, n°53. Littérature populaire. S. 23–36

Versini, Laurent: *Le roman épistolaire*, Paris: PUF 1979

Filmographie :

Anglade, Jean: *Auvergne 1900*–1965, Paris 2005

Depardon, Raymond: *La Vie moderne* (2008)

Pires, Gérard: *l'Entourloupe* (1980)

Crédits photographiques

Ne sont mentionnées ici que les photos dont les droits ne sont pas directement indiqués dans le dossier.

page	titre	source
15	Photographie du garde champêtre de Bargemon	Mis gracieusement à disposition par la mairie de Bargemon
	Insigne de garde champêtre	Collection privée
	Guignol de Lyon	https://commons.wikimedia.org/wiki/ File:Guignol_de_Lyon.JPG
62	Uppsamling av sädeskärvar, med oxspan	http://kmb.raa.se/cocoon/bild/show-im-age.html?id=16001000016937
63	Woman seated at desk with office equipment and ledger book	https://amazonaffiliatecart.demand samples.com/nice-computer-photos-21/
64 e.a.	Staatssymbol Frankreich	https://de.wikipedia.org/wiki/Hoheitszeichen Frankreichs
68	Ecusson police rurale	Collection privée
72	Crossing Jordan	https://en.wikipedia.org/wiki/Crossing Jordan
	Börne	https://de.wikipedia.org/wiki/Thiel_und Boerne#/media/Datei:WDR-Dreharbeiten_zu_Tatort_M%C3%BCnster _%E2%80%9ELakritz%E2%80%9C-6995.jpg

Remerciements

La publication de ce dossier pédagogique n'aurait pas été possible sans la gentillesse et la générosité

De la municipalité de Bargemont, responsable du Musée du garde champêtre et représentée par Madame Isabelle Boudier qui m'a permis de publier la photo du-garde champêtre de Bargemont (voir p. 15)

D'Audio-lib, qui, en la personne de Madame Ludivine Payen m'a autorisé à publier un enregistrement des pages 172-176 du roman (voir p. 26)

Et surtout des Editions Albin Michel qui, en la personne de Madame Rosa Nascimento, m'ont donné la permission de citer largement l'ouvrage de Romain Puértolas

Qu'il me soit permis ici d'exprimer à tous ma plus profonde gratitude.

C. Losfeld, Halle, juillet 2021